KB166077

인어 공주를 위하여

이 미 라

늘 감사하고
행복했습니다.
이 책이 작은 기쁨이
되어 드린다면
참 기쁠것 같아요.

인어
공주를
위하여

LEE MI RA SPECIAL EDITION
인어
공주를
위하여
1
이미라
학산문화사

LEE MI RA SPECIAL EDITION

인어공주를 위하여 1권

1990년 대구

東邦生命
방사선과
동아기원
소아과
김영배 치과
대구 은행
직매장
싸다
ICOM

서장 마지막을 위한 처음

누군가 내게
물었었지.
가장 좋아하는 꽃이
무엇이냐고.
동대구역
Tongdaegu Station
NOMANS
노망
정아정아 밥그릇
전기요
전기 장판
구정귀성차표예매
나는 대답했어.
—그것은 물망초.
그 말은
나를 잊지 말라는
뜻이라며
나는 웃었어.
부산 방면
타는곳 5.6번홈
서울 방면
타는곳 7.8번홈

또 그가 내게 물었지.
가장 감명 깊게 읽은 책이
무엇이냐고.

나는 대답했어.
그것은 안데르센의 인어공주.

그러나 인어공주의 역할은
맡고 싶지 않다고
나는 웃으며 덧붙였지.

그가 마지막으로
내게 물었지.
가장 좋아하는 단어는?

그것은 사랑!

…사랑…이라고
여전히 웃으면서
나는 대답했지.

웃는 모습이 좋다는
그 한마디에
철없는 아이마냥
웃기만 했지.

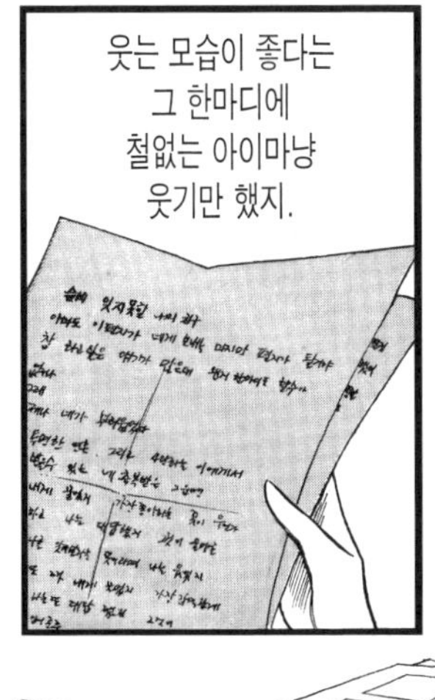

사랑에는 여러 가지
빛깔이 있지만
인어공주의 사랑은
암울한 늦가을빛.
눈조차 없어
더욱 스산한
회갈빛 들녁.
지우개 가루
엄마,
저 잠깐 나갔다
올게요.
쉽게 다가갔다
빠져나올 수 없어진
잔인한 늪.
지우개질 할 원고가
산더미 같은데
어딜 간다는
거야?
밤새워서라도
다 할 테니까
염려 마세요.
해질녘의 그 자욱한
보랏빛 어둠.
부질없는 기다림.

…서러움…,
…눈물….
그러니까 늘 추워했고…
가난했고…
그리워하며…
TAXI
잡히지 않는 바람결에
설핏 손 내밀다
혼자 소스라쳐 손 거두어
버렸던 거지.
장미야,
시간 됐다.
들어가자.
전기요.
전기장판
즐거운 여행은

이제 그가 묻지 않아도
대답하겠어.

비틀즈도 아바도
좋아하지만
언제부터인지
멜라니 사프카를
더 좋아해버렸다고.

뚫어질 듯 바라보던
그 눈길을 아직도 느끼지만
어느새 이별이라는 단어에
더 익숙해져버렸다고.
—그래서
웃는 게 힘들다고.

바람 불던 그 골목길도
옅은 음조의 휘파람 소리도
다 기억하지만,
이젠
레테를 더
갈망하게
되었다고….
—그래서
웃음이 뭔지
알 수 없게
되었다고.

정말이지
인어공주가
싫어져버렸다고!

빠아아아아...

—그것이 내가
마지막으로 접한
장미의 소식이었다.
아아…,
어떻게 설명할 수
있을까.
우리의 봄, 여름,
그리고
가을, 겨울을….
내 표현력이란
이다지도 유치하고
졸렬한 한계를
지녔을 뿐인데….
그 해
두 살 위였던 장미도
두 살 아래였던 나도
어리고 미숙했으며
마냥 꿈꾸고 있었다.
그리고 지워은…
지…원…은….

제1장 푸른고교의 전입생
내가 그들을 만난 계절은 봄이었다.
1989년 4월 27일. 그날은 우리 집 이삿날이었다. 그때까지 우리 가족은 집을 지니지 못했기에 이사 경력 또한 찬란할 정도였다.
야아…, 깨끗한 동네구나.

우리 가족의
막내인 나만 해도
10여 번의
이사 경력이 있었으니.
하물며…,
어쨌든 그로 인해
나는 전학도 여러 번
해야 했고,
짐 챙기는 실력은
완전 프로급이었다.

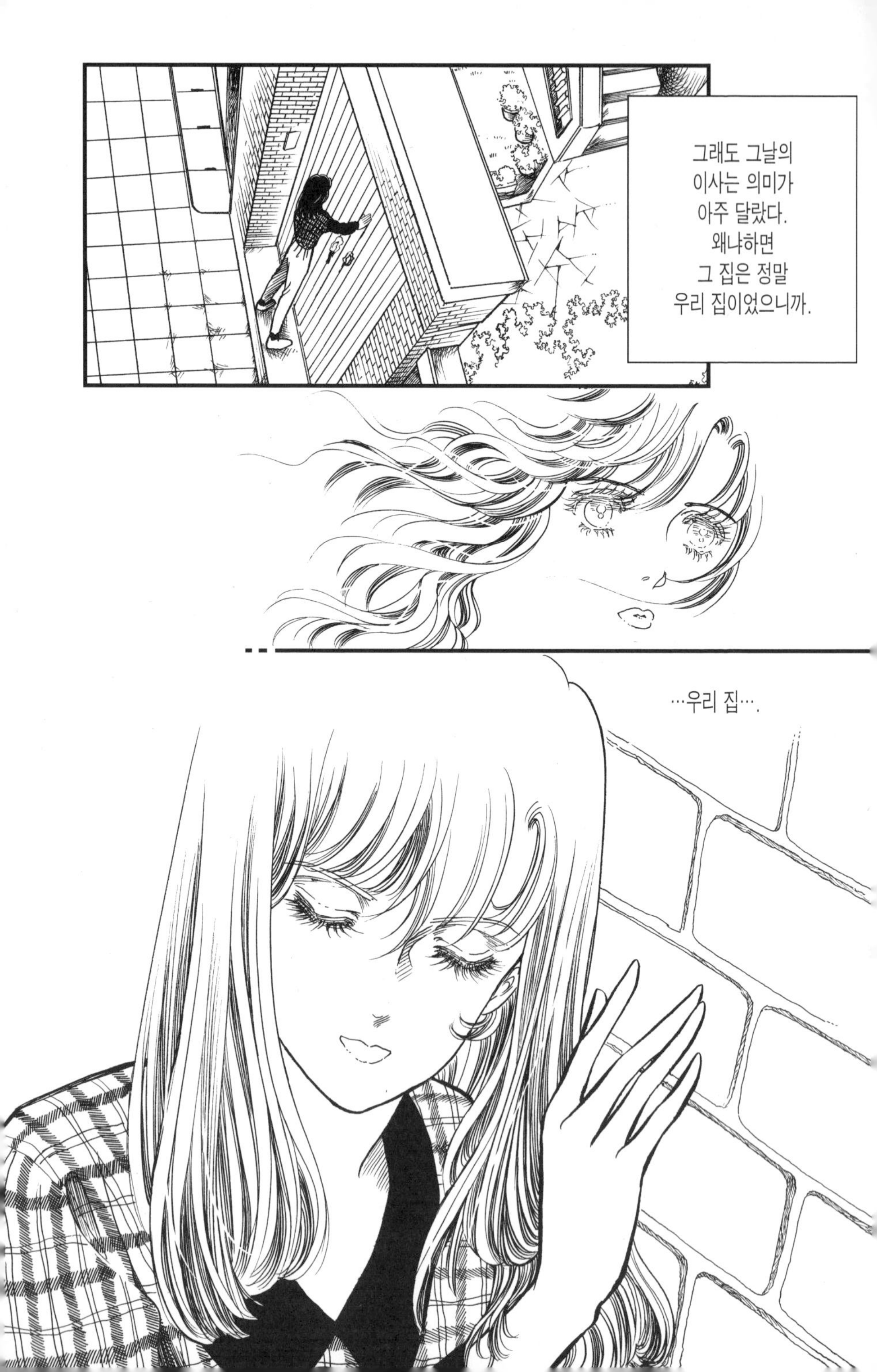
그래도 그날의
이사는 의미가
아주 달랐다.
왜냐하면
그 집은 정말
우리 집이었으니까.
…우리 집….

우리 집에
볼일 있니?
에…?

와앗—!
뭐, 뭐예요?!
우리 집에
무슨 볼일 있냐고.

네?
그쪽 집이라뇨….
여긴….
조준구

어…,
어떻게 된 일이지?
분명 사진과 똑같…
…은….

이…
이럴 수가…!

혹시 내가 먼저
도착한 게 아니라면….

이슬비!
거기서 뭐 하고
있는 거야?!
자리가 부족해
다른 차로 보냈더니
엉뚱한 데서
미적거리고 있어?!
역시….
썩 이리 오지
못해?!

빨리 빨리
옮겨!
게으름 부리면
저녁밥 없는 줄
알아!!
이상한
아주머니다.
쿵
아이고
무거워라

아야

혼나고도
계속 딴짓하고
있어?!!
씨이… 벌써 때려 놓고선….
아프겠다
한 대 맞고
싶지?!

그쪽도
도와줄 거
아니면
썩 사라져!

옆집 학생 꽤나 미남이네. 키도 크고.
바람직하도다.
이 동네에선 제발 좀 오래 살아야 할 텐데.
이사하는 거 지긋지긋해.
모두 엄마 때문이야.
매일 매일 소리를 지르니 소음공해로 민원이 들어가는 거잖아.
쉿―! 들으실라.
라면
잡담 말고 빨리빨리 움직여!
참, 슬비는 푸른고교로 전학했다며?
응. 내일부터 등교하면 돼.
미라, 너는?
고3이니 전학은 무리지.
계속 개나리 여고에 다니기로 했어.

기상-!
동작이 느리다!
빠릿빠릿
움직여!!
하나
둘
셋
넷

음—,
막내가 보이지
않는도다.

그러고 보니…
웬일이지?
마감이라 밤새도록
지우개질, 먹칠 했잖아.
아직 이사 피로도
안 풀렸을 텐데….
우린 틈틈이
졸기라도 했는데
손도 느린 갠
한잠도 못 잤겠다.

촤
악

조 용—

미라는 즉시
막내를 생포해
오도록.
알겠습니다,
어마마마—!
척

비호처럼
날쌘 미라.
불쌍하다,
우리 막내.
그리고 또
시작되는
기나긴 연설.
100M
12초대 기록
며칠 전까지만 해도
우린 전셋집에서
집주인 눈치보며
살아왔다.
그러나
여러분이 발 딛고
있는 이 집은
어느 누구의 집도
아닌 우리들의
집이다.
여러분은 정말
행복한 사람이다.
유능한 부모님 덕분에
이런 멋진 집에서
살지 않는가?
마땅히
은혜에 감사하고
효도를 다해야
옳을 줄 안다.
내 남편님의 뼈를 깎는
노고가 이어졌고 더불어
매니저계의 전설과도 같은
나의 내조가 있었기에 이룰 수
있있던 쾌거가 아니겠는가!
칫—!
화장실도
하나밖에
없으면서.
엄마 아빠 방만
에어컨이고 우린
선풍기면서 뭐.

엉
엉
부탁이에요,
제발 1분만
더 자게
해주세요,
원고 하느라
밤새 한잠도
못잤다고요,
엉
질질

내일부턴 새벽에
일어날 테니 오늘만
봐주세요, 엄마~.
흑
흑

좋다.
너는 제자리로
가도록.
생포해 왔습니다,
어마마마.
척
잉
잉

나의 사전에
예외란 없다!
철
썩

잠은 만화가 최대의 적!
네 시간 자면 히트 작가,
다섯 시간 자면
만년 문하생!!
네가 그러고도
만화가집 딸이냐?!
착
철썩
착

내게 너처럼
게으른 잠충이
딸이 있다니
남우세스럽구나!
오늘은 굶어!
치리리
죽여주세요.

우리 엄마가
아닌것 같다
계모가
아닐까?
꼬리 아홉달린
여우가
둔갑을
잘한다던데
흑
여보,
나 커피….
아버지—!

안녕히 주무셨어요
아바마마
응?
오냐, 오냐.
귀여운 내 새끼들

생긋
여보!

왜 이렇게 일찍 일어나셨어요. 호호….
배고프니 식사합시다.
이제 살았어.
울지마, 막내야.
흑흑
더 패도 되는데.
많이 아팠지?

오늘은 대충하고
식사할까?
샥
그래요 어머니 ~~

늦잠 잔 죄로
밥상위엔
간장과
밥 만 있다

오늘도 일용할
양식을 주신
부모님께 깊이
감사드립니다!

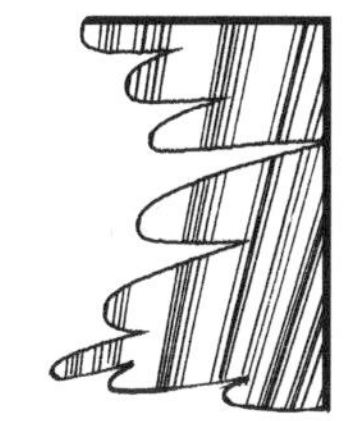

어서 실력을 쌓아
엘리트 문하생이 되어
아버님을 돕겠습니다!
저희들의 꿈은 아버지처럼
훌륭한 만화가가
되는 것입니다!

애들 키우는 보람이 있구료.
허허
유능한 매니저가 있으니까요.
호호…

와아—, 불고기다!
Oh! Good
멸치 한 마리만 있으면 좋겠다….
냠냠
어제 고생했다고 한턱 내신대.
입에서 녹는다, 녹아~~.
쩝쩝
Good!
어제 먹던 멸치조림은 누가 꺼낸 거야? 집어 넣어.

학교 다녀오겠습니다.
수업 마치면 한눈팔지 말고 곧장 와! 테두리 선 그어야 하니까!

언니는
버스 탈 거지?
나 자전거 좀
빌려주면 안 돼?
안 돼!

늦잠 잤다고
승차권 값도
안 주셨단 말이야.
딱 하루만—.
응?
안 돼!!
…그럼
오전만…?

안 돼!
안 돼!
절!대!로!
안 돼—!!!
아, 알았어.

학교가 별로
안 멀어서
다행이다.
이미 짐작하셨겠지만
우리 집은 만화가 집안이다.
만화에만 전념하시는
인자하신 아버지와
딸들 위에 독재자로
군림하시는 어머니.
아빠 이상형 씨,
인기 만화가,
엄마가
간호 사관학교에
계실 때
아빤 이등병이었음.
엄마 김숙 씨, 아빠의 매니저,
상당히 특이하신 분으로
선글라스와 군복으로
폭력적인 정체성을
드러내신다.
별명
스파르타 교관
군부 독재
노예 상인
네로 여왕
히틀리아

언니들은 모두 만화에 재능이 있어
엄마 아빠의 사랑을 받았지만
아래 둘은 전혀 소질이 없다.

우리 집 5자매(공주)

그래서 미라 언니는
칼질(스크린톤 작업)을,
나는 지우개질과 먹칠(잉크칠)을
맡아서 하는데
어쩌다 실수라도 하는 날이면
공포의 채찍 소리가
온 동네에 울린다.

진아 언니 말에 따르면
난 어릴 때부터 자주
맞고 자랐다고 한다.
유별나게
잉크를 많이
쏟은 탓에.
LALALA

그렇게 맞고도
잘 자란 걸 보면
신기해서
언니들이
괴력의 소녀,
원더 슈퍼 태권V
라고도 부른다.

잰 몸이 무쇠야. 괴력의 킹콩, 헐크다.
아냐, 로보캅.
무쇠니까 태권 V지.
내 성격은 불의를 보면
로봇 태권 V와 같은
힘을 발휘하지만
알고 보면 내성적이고
소녀 만화의 주인공처럼
섬세하다…고
자부한다.

하지만 이런 나의 힘이
집에서 발휘되는 일은 없다.
우리 집의 가훈 중 하나가
어른(엄마)에겐
무조건 복종.

더 큰 힘 앞에서
나는 늘 약자다.

반항아R—이라는
프로그램을 보고
엄마에 맞서 혁명을
시도한 적은 한 번 있지만
오징어가 되도록 맞았을 뿐.
(5.16 반항아 사건)

그 후 우리 집엔
순종만이
존재한다.

귀먹고 눈멀고 말 못한
열일곱 인생.
한마디로 가출 못해
살고 있는 셈이랄까….

그래도 아빠는 늘 다정하고
언니들도 비교적 온유하다.
오직 예외인
미라 언니만 빼면….

내 소원 중 하나가
제일 먼저 미라 언니를
시집 보내는 것이다.

콰당
젠장!
바쁜데 바위 따위가
길을 막다니!!
나도 모르게
잠이 들었군.
부시시
탁탁

지금
몇 시예요?
......
......!
뭐야, 사람이잖아!
8시 5분 전.
뭐라고요?!
지각이다아—!
나도!
그래, 확실히 지각이다.
그러나 내가 누군가?
그 이름도 찬란한
조종인.
불가능을
가능으로 바꾸는
집념의 사나이!!

지각은
절대 안 돼!!!
골인—!
저…,
저럴 수가….
헉
헉

때르르르릉
하아 하아
사… 살았다.
헉 헉!
지각―!
흘깃…
그래.
뭐든지 집념을 가지고
노력하면 되는 거야.
방과 후 반성문
작성 제출할 것.
그리고…
잘못했어요.
한 번만
용서해주세요.
예?
지금 당장
토끼뜀 50회
실시!

치마 입고 온 날에
토끼뜀이라니 너무해.
전 학교에선 손바닥
몇 대 맞는 걸로
끝났는데….
하나!
둘!
누구는
초능력 발휘해서
표범처럼
달리고…

피식
화끈。
저럴 수가!
그렇게 억울한 눈으로 볼 것까진 없잖아.
열 하나...
열 둘...

됐다.
그만하고
들어가.
열다섯
고,
고맙습니다.
나의
푸른고교 생활은
그렇게 지각으로
시작되었다.

제2장 새로운 만남

공포의 수학 시간.
코사인 알파의 값부터 먼저 구하고 반각공식을 이용해야 된다 그랬재?
$\sin^2\frac{\alpha}{2}=\frac{1-\cos\alpha}{2}$
$\cos^2\alpha=\frac{1+\cos\alpha}{2}$
$\tan^2\frac{\alpha}{2}=\frac{1-\cos\alpha}{1+\cos\alpha}$
…이래야 답이 제대로 나온다 아이가!!
니는 지금 이 풀이가 맞다고 생각하나?
니도 고마 뒤에 가 서거라.
다음 문제는 출석번호 4번이 풀어봐라.
수학Ⅱ-2
헉
휴

빨리 나와서
안 풀고 뭐 하노!
탕
예…,
선생님…!
뭐꼬!!
x와 y도 아직
구분 못하나?!
근데 재주도 좋데이!
풀이 과정은 엉터린데
우째 답이 맞노?!
성빈아,
예습해 왔니?
아, 아니….
난 지금
극도의 긴장과
싸우고 있어.
다음 예제4부터는
출석 번호 13번!
커닝페이퍼에다
풀이랑 정답을
다 적어야지.
쓱쓱
22번!
13 22 31
67(7)
58
34
답이 나왔다.

성빈이 너, 51번이지? 절대 안 걸리니 걱정 마.
뭐? 왜?
수 차 9로 나가면 4, 13, 22, 31… 이렇게 이어지는데
우리 반은 모두 62명이니까 67번이 아니라 7번, 16번, 순으로 나가게 돼.
4 13 22 31
40 49 58 67(7)
7 16 25 34
43 52 61
다음 문제는 31번.
…….
다음 40번.
정말이다! 이슬비, 대단해!! 수학 못한다더니 이런 비상한 재주가 있었네!

49번.
국민학교부터 여러 선생님들을 겪으며 자연스레 얻게 된 삶의 지혜라고나 할까.
신기해라~. 어떻게 예상을 벗어나지 않냐?
나머지 문제는 뒤에서 소곤대는 두 놈이 나와서 푼다.
헉!
어떻게 된 거지?
예외 없는 법칙은 없어.
네넷!
퍼뜩 안 나오고 뭐 하노?! 추가로 반성문도 쓰고 싶재?!
탕

때르르르릉
종 쳤어요 선생님!!!
…….
할 수 없지. 남은 문제들은 숙제로 하겠다.
뒤에 나가 있는 사람들은 다음 시간까지 반성문 10장씩 써 오도록!
차렷!
경례!

휴~.
살았다.
〈누구를 위하여 종은 울리나〉가 왜 유명한지 알겠어. 헤밍웨이도 이런 극적인 순간에 영감을 얻었을거야.

정말 다행이었어!
그래
와락
재들은 암만 봐도 닮았어.
명물이 늘었어.

어이 휘인아!

전혁진.
이번 전국구
모의고사도
대박 났다며?
네 친구란 게
자랑스럽다.
짜식~.
욱…
축구부 연습 시간
아니었어?
감독쌤 늦장가
가는 날이라
오후 연습은 없어.
…그런데…
넌 시험 끝난 지
얼마나 됐다고
또 책을 들고 설치냐?!
지금은 바야흐로
5월이라고!
탁
푸르른 5월의 정기를 받아
바람직한 인격으로
거듭나야 할
이 시점에—!!
학생회장이 그렇게
참고서만 파고 있으면!!
다른 학생들도 여유를 잃고
성적의 노예가 될 수밖에
없는 거라고 본다!
나 지금
무슨 헛소리를
하는 거니?
쌩
알았으니
진정해.

팡!
저 녀석,
종인이 아냐?
어, 맞네.
팡!
언제나
열심이군.
지난번
서지원과의 시합은
대단했지?
팡!
후훗—.
그날 형은 근육통 때문에
수저를 제대로 못 들어서
식사도 못 했어.
쌍둥이라고 해도
이란성이니까, 뭐.
그만 가자.
보는 거 알면
싫어할 거야.
쌍둥이인데도
너랑은 정말 너무
다르단 말이야.

우리 학교로
전학 왔구나.
저 애는….
저 사람이 바로
두 번째 명물인
조종인 선배야.
'집념의 사나이'
라고 불려.
푸른

아, 그건 말이지,
우리 학교에서 제일
잘나가는 세 사람을
부르는 말인데
'푸른고교 3대 명물'
이라고 꽤 유명해.
특이하거나
특출나다는 공통점
때문에 그렇게
묶어 부른다더라.
근데 아까부터
명물 명물 하던데
그게 뭐니?

저기 조종인 선배는
특이한 쪽이라고 해야 할까…
일반인으로선 이해하기
힘들 만큼 괴팍한 성격으로
한 자리 차지했대.
가끔씩 상상도
할 수 없는 일을
저지르곤 하나 봐.
그래?
아니 벌써…
이슬비, 이성빈.
수업 종 쳤어.
오늘은
배구 경기를
해보겠다.
조 편성은
각 번호에 맞춰서
1조는 1번, 11번,
21번….
62번이니
나는 2조네.
나도 2조.

아…, 내가 32번이야.
2번, 12번. …너 몇 번?
한 명이 모자라네? 누가 빠졌지?
나, 24번.
푸른
푸른
푸른

어차피 서브 포인트로 승부가 갈리는데.
작전 회의 할 거나 있나?
그러니까 서브 미스 내지 말고 들어오는 서브라도 제대로 받자고.
어서 와. 저 팀은 준비 다 했어.
아, 난…
푸른

푸른
푸른

백장미 쪽이다!
막아ㅡ!
아….
텅
마이 볼!

팡
괜찮아?
으응~.
고… 고마워.
아 참, 그렇지.
백장미 너는
견학이다.
…예.

선생님,
그럼 우리 조는
한 명 모자라요!
아까
한 명 남았지!
2조로 가라!
자, 경기를
속행합시다!
재, 잘하네.
그래,

와~!
받았어!
광장해!
원래
배구부였니?
헤헤
그건 아닌데
먹는 거나 뛰는 건
좀 하는 편이야.

푸른

으~. 덥다, 더워. 무슨 5월 날씨가 이래?
대구잖아.
성빈아, 저 애는 늘 혼자인 것 같아.
누구?
아, 백장미 말이구나.
공주님 눈에 우린 무수리로 보일 테니까.
공주님이 미천한 우리와 할 말이 있겠냐? 신경 쓰지 마.
그러고 보니 누구에게 먼저 말 거는 걸 한 번도 못 봤네.
…그렇게 나쁜 아이 같아 보이지는 않던데.

어떤 앤지
사실 나도 잘 몰라.
얘기해본 적도
별로 없는걸, 뭐.
두 살 연상은
좀 그렇잖아.
두 살 연상?
많이 아파서
휴학했다가 올해 초에
복학한거래.
안됐지 뭐.
자기도 얼마나
불편하겠어?
난 백장미가
누구랑 대화하거나
웃으며 어울리는 걸
본 적이 없어.
어쩐지
분위기가
좀 성숙해
보이더라.
큭..
네 말 들으니
생각나는데,
학기 초에
설문 조사
한 적 있거든.
인어공주?
그래.
가장 감명 깊게
읽은 책은 안데르센의
〈인어공주〉라고 떡하니
적어놨더라니까.

정말 예쁘다,
백장미.
장미 님이 있어
학교에도 의미가
있는 거야.
보호 본능을
이끌어내는
저 청순가련….
청승가증이겠지.
누가 졸부 딸
아니랄까 봐 저렇게
티를 내고 다니나?
저봐, 저봐.
교문까지
걸어가는 것도
신기하다니까.

우리 반에
런 애가 있으면
토 쏠려서 밥도
안 넘어갈걸.
재네 반 애들은 자동 다이어트네.
와~, 부럽다~.
학교
언제나 뒤따르는
등 뒤의 손가락질….
타십시오.
…….
그냥 버스 타고 갈게요.
하지만 아직 몸이….
나, 죽을 병 걸린 거 아니에요.

회장님
분부십니다.
어서 차로….
다 나았다고요—!
이제
아무렇지 않으니
제발 좀
내버려둬요!
그러시다면
오늘은 먼저
돌아가겠습니다.
또각… 또각
빨리 돌아오셔야
합니다, 아가씨.
회장님이 아시면….
…….
부웅

하아
하아
고작 100M도
안 되는 거리에
이렇게 지치다니….
아버지 말씀대로
학교는 그만두고
가정교사에게
배워야 하나….
바보….
1년간 그렇게나
돌아오고
싶었으면서….

하지만
학교에 온다고 해서
뭐가 다를까….
상냥한 친구들…
즐거운 휴식 시간…
밝은 웃음….
그 어떤 것에도
내 몫은 없는데….

러브 스토리?
응. 하늘 극장에서 재개봉했어.
어떻게 케케묵은 70년대 영화를…. 문화교실 할 게 그렇게 없나?
새로 나온 재미있는 영화 얼마나 많냐고.
로보캅…, 시네마 천국…, 터미네이터….
백 투 더 퓨처도 재밌다더라.
으잉?
몸이 이상한 방향으로 틀어진다?
참새가 방앗간 앞 그냥 못 지나치는 법. 헤헤….
별나라 세계
분식전문

성빈아,
점심 시간에 얘기하던
3대 명물 얘기
마저 해봐.
듣다 말아서
되게 궁금하네.
제 1호 명물부터.
으응?
명물 1호?

…그 선배 얘기는 하고 싶지 않아. 안 좋은 소문이 워낙 많아서.
괜히 뒷담화 하다 잘못 걸릴까 무섭기도 하고.
?
그보다 우리 학교 첫인상은 어때?
…헤헤…. 미남이 많은 것 같더라.
아까 네가 말한 명물 2호 선배도 그렇고, 아침에도 두 명이나 마주쳤지 뭐야.
표범처럼 달리던 사람도 담 넘던 초미남보다는 좀 못했지만 상당히 깨끗한 느낌이었지.

아! 어쩐지
낯이 익다 했더니
그 표범이었구나.
특이하다 했더니
과연 명물!!

그러고 보니 넌
여고에서 온 거지?
여고라서
남학생들 볼 일도
별로 없었겠네.
안됐다.
순대
김밥
쫄면
빙설
호떡
냉면. 800원.
그렇지도 않아.
친구들은 미팅도
잘만 하던걸.
나야 늘 바빠서
틈이 안 났지만.
원고...
원고...

그래.
너도 이왕
남녀 공학으로
전학 왔으니
남자 친구 한 명쯤
사귀는 걸
목표로 해봐.

그건 곤란하지.
이 몸은 이미
배우자가 정해져 있는
몸이시란다.
아푸푸.

서… 설마
약혼자라도
있다는
소리야?
그래.
노…
농담이겠지,
그치?
그런 농담을
뭐 하러 하니?
진짜야.

마… 말도 안 돼!
넌 겨우 열일곱이야!
조선 시대도 아닌데
그런 중대사를
벌써 결정해
놓다니…!
쾅
좀 작게
말할 수
없겠니?
이건
말이 안 돼!
말이 안 돼!
꿀꺽

이런 데서
소리를
지르다니,
체했잖아.
무식하면
다냐?
정말로
정말이야?
진짜로
진짜야.
소음공해
민폐들은
지구를
떠나라!

그렇게 이상하니?
이상한 건 아니고
신기하긴 하다.
약혼하기에는
어린 나이잖아.
어떤 사람인데?
서로 많이 좋아해?
당연한 말을!
안 좋아하는데
어떻게 약혼을 해?

만일 그걸
후회하게 된다면?
싫어지게 될지도
모르잖아.
다른 사람이
좋아질지도
모르고….
그런 일은 없어.
절대로!

그럴 리가
없잖아.
해맑은 웃음…,
해맑은 눈빛…,
실바람에도
부드럽게
나풀대는
머리카락….
세상 누구보다도
다정하고 상냥한…
나의 푸르매.
푸르매를
싫어하게 되는 날이
올 리 없잖아.
푸르매가 아닌
다른 사람을
좋아하게 될 일은
꿈에서도 없어!

그래, 그래. 나랑은 생각이 다르지만 건투를 빌게.
나는 그냥 무난하게 많은 남자와 사귀다가 그 중 가장 마음 맞는 사람을 선택할 거야. 그래야 실패할 확률이 낮지.
지금은 몇 명 사귀고 있는데?

…….

아하하~, 아직. 하지만 곧 생길 거야. 남학생이 많은 동아리에 가입할 생각이거든.
아줌마 여기 오무라이스 그 인분 주세요
…….

앗! 슬비야, 저기— 교복 입은 저 선배가 우리 학생회장이야. 3대 명물 중의 마지막 한 명이기도 하고.
어디?

참, 혁진아,
우리 옆집에 이사를
왔는데 말이야—.
응?
저 사람은….

잘생겼지?
피부도 깨끗하고.
검은 선글라스랑
나치스 제복 같은 옷이
인상적이더라.
처음엔 교도관인 줄 알았어.
채찍으로 5명의
여자들을 때리면서
일을 시키더라고.
교도관
아니었어?

성격도
되게 좋아.
오늘 아침에도
제일 작은 애가 늦잠을 잤다고
인정사정없이 혼내는데
나중에 그 애가
'엄마, 용서해주세요.'
그러는 거 듣고
깜짝 놀랐어.
하
하
그런 엄마가
다 있냐?

슬비야. 볼에 그건 웬 상처니?
아, 이거. 오늘 아침에 늦잠 잤다가….
아… 아냐, 아무 것도….
참, 그런데 우리 학교에서 그 애를 봤었어. 전학온 것 같아.
그래?
빨리 먹고 나가자.
이것 다 먹고 아이스크림도 시켜 먹어야지.
나중에 너희 집에 놀러 한번 가야겠다. 옆집 동태도 구경할 겸 해서 말이야.
하하하

테두리 선 작업 다 끝났어요.

이제
더 할 건 없죠?

제대로 한 거
맞아?
확인해보세요.

음…,
다 했군.
가서 자도록.

딱
아얏!

일 끝났으면
후딱 잠이나 자러
갈 것이지 무슨
한눈을 팔아?
내일 또
늦잠 잘래?
이러니까 남들이
교도관이라고
그러지!

교, 교도관?
저게
미쳤나?
밤이잖아요, 여보.
제발 좀 조용히….
창피해 죽겠어,
정말….
잘 자,
나의 푸르매.

안녕하세요—,
슬비 어머니.
슬비 있어요?
투덜 투덜…
그 녀석,
제 아빠 원고에
잉크 쏟아놓고
도망가버렸구나.
나 원,
막내라고 있는 게
어찌나 애물단진지….
아빠가 얼마나
공들여 그린 건데
이게 뭐니—!!

여기 있을 줄
알았어.
푸르매.

푸르매,
나 이제 큰일났다.
아빠 원고 다 버려놨어.
나는…
고양이가
원고 밟을까 봐….
저번에도 한 번…
고양이가 들어와서
원고 밟아서…
그때
발자국 생겨서…
그래서
고양이 보내려고
했는데…. 히잉~.

집에 가면 혼날 거야.
엄마 무지무지 화낼 텐데…
어쩌지?
일부러 그런 거
아니니까
잘 얘기하면
용서해주실 거야.

…안 될 거야. 울 엄마 얼마나 무섭다고. 푸르매 너도 알잖아.
슬비….
어쩌지?
어쩌지?
그러면 어머니 화 풀리실 때까지 있다가 들어가자. 새로 산 동화책 내가 읽어줄게.
그거 재미있는 거니?
그럼.

정말 부럽다, 야~.
네 얘기야말로
동화 같아.
나는 언제
그런 추억 한번
만들어보나….
왜?
끌리는 사람이라도
있었어?
네 말대로
동아리에도 들고
노력해봐.
이 학교엔
잘생긴 남자애도
많더라.
헤헤….
나야 일편단심
민들레고.
그래,
그 명물 삼총사 쪽은
관심 없어?
으응?
아….
관심이
없다기보나….

가까이하기엔
너무 먼 당신들이지.
한 명은 너무 괴팍해
감당이 안 되지 싫고
한 명은 너무 완벽해서
부담스럽고.
…나머지 한 명은
눈에 안 띄는 게
최고지.
전에도
그러더니….
오죽하면 별명이
위험지대겠어?
한마디로
푸른고교의 암이요,
독버섯 같은 존재라고
보면 돼.
따닥!
따닥!
따닥!
따닥
따닥!
따닥!
따닥!
따닥!
따닥!
따닥
따닥!

따닥…
따닥…
따닥…
빨리 지나가자.
쿡쿡

따
닥
똑
따닥
딱
정말 잘생겼다,
그치?
으응.
깡패만 아니면
접근하겠는데.
저 애는….
앗—.
이쪽으로
지나가려나 봐.
어서 와.
가고 나면
얘기해줄게.

톡.. 또그르르르....
…이런
실수를….
응?
스윽..

어,어쩌자고
그걸
줍는 거니.
말똥
멈춰.
도대체 뭐가
어떻다는 거야?
같은 학교
학생 같은데….

아아…,
슬비….
이젠 정말
끝장이야.
…호두.

한번 내 손을
떠난 것엔
미련 없어.
예?
이상한
말을 하는
녀석이군.
저…, 그럼 이거
내가 가져도 돼요?
호두 굉장히
맛있는데.
…….
좋을대로.
가자.
불로소득이다~.
척
척

우와아~! 대단해, 슬비. 넌 정말 행운아야. 이건 정말 기적이라고!!!
뭔 소리래?
그 애들은 소문난 깡패들이라고. 특히 호두알 굴리던 애는 학주한테도 몇 번 찍힌 애야.
바로 네가 궁금해하던 명물 1호.
여지껏 퇴학 안 당한 건 순전히 성적 덕분이래.
S대 합격이 기대되는 애들에겐 약한 선생님들이다 보니….
신기하게도 성적은 늘 전교권이거든.

…기묘한 이질감.

석양과
호두알 부딪는 소리…,
거기에 뒤섞이는 휘파람 소리….

제3장
내 이름은 명물
—그것이 지원과의
첫 만남이었다.
한국 외환은행

아버지는
일이 일찍
끝나는 날이면
골목 어귀에서 나를
기다리시곤 했다.
서지원

아빠,
뭐 하세요?
오, 지원아.
학교는
잘 다녀왔니?
유리 조각이네요?
그래.
아이들이 놀다가
다칠 것 같아서
말이야.
저도
거들게요.
그리고는 늘 나를 무등 태우고
집까지 걸어가셨다.

아빠, 아기가 태어나도 자주 무등 태워주실 거죠?
그럼~!
아기는?
둘 다 태워주면 되지.
집으로 가는 길목엔 큰 호두나무가 우리를 반기곤 했다.
어, 아빠! 호두나무에 꽃이 피었어요.
그렇구나. 곧 열매도 열리겠지.
호두나무는 굉장해요, 아빠. 그저께 태풍이 불었는데도 끄떡없잖아요.
그래.
어떤 역경에서도 흰 꽃을 피우고 열매 맺는 강인한 나무지.

우리 지원이도 그런 사람이 되겠지? 언제나 착하고 건강한 아이로….
약속해요, 아빠.
저 호두나무처럼, 그리고 아빠처럼 훌륭하게 될 거예요.
아빠처럼?
아빠는 힘도 세고 뭐든지 제일이잖아요.
나는 아빠가 세상에서 제일 좋아요.
어머니는 대문 앞에서 아빠와 나에게 손을 흔드신다.
어서 와요, 여보.

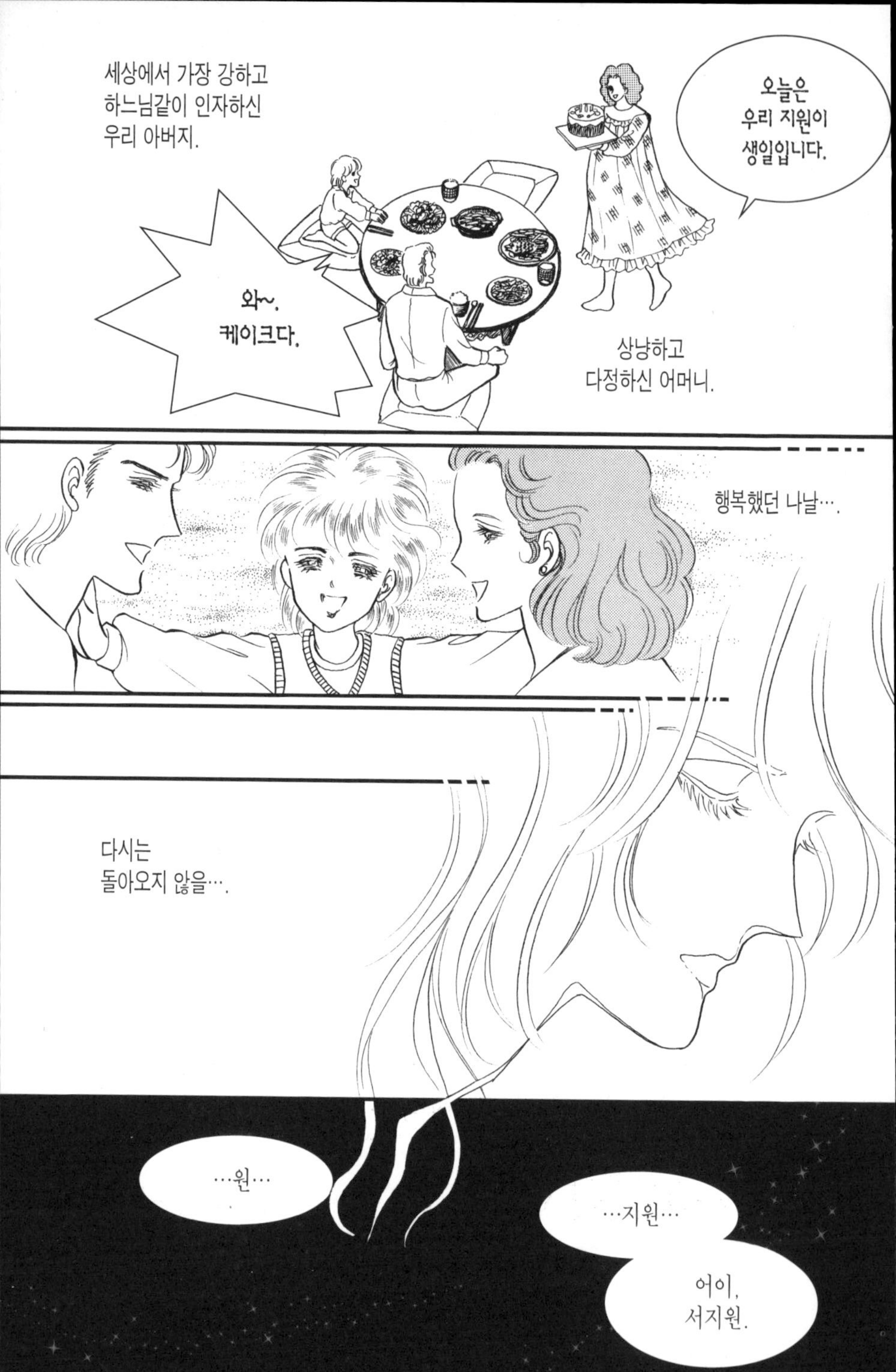
세상에서 가장 강하고
하느님같이 인자하신
우리 아버지.
오늘은
우리 지원이
생일입니다.
와~.
케이크다.
상냥하고
다정하신 어머니.
행복했던 나날….
다시는
돌아오지 않을….
…원…
…지원…
어이,
서지원.

수업 끝났다.
나가자.
알았어.
병호야,
나 지금
이상한 걸
본 것 같아.

서지원이 눈물을 흘리더라.
농담도 참.
드디어 헛것을 보는구나.
입시 공부가 그렇게도 힘들더냐?
아…, 그런가 봐. 보약이라도 한 첩 지어달라고 해야겠다.
근데 그 녀석도 신기하지 않냐?
깡패 주제에 공부도 잘하고 스포츠도 만능이고 재수없게 얼굴까지 잘생겼잖아.
그건 그렇지. 도대체 부족한 게 뭐야?
인간성이 터무니없이 부족하지.
아, 종인아.
벌떡

서지원에게 라이벌 의식을 갖고 있다더니… 어김 없이 끼어드는군.
전교 10등 안에 들 수도 있었는데 지원이가 10등하는 바람에 11등 했대.
아하~. 그래서 벽보에 이름이 없었구나.

하여간에 저 녀석도 만만찮은 별종이라니까.
괴상하기론 오히려 조종인이 한 수 위지.

참, 오늘 문화교실 있는 날이지?

러브 스토리?
그래. 지난 달 문화교실도 안 갔잖아.
학력고사가 200일도 채 안 남았는데 영화는 안 되지.
그러니까 가자는 거 아냐! 2학기가 되면 꿈도 못 꿀 일이라고!
탁
이게 다 너를 위해서 하는 말이야!
TV에서도 몇 차례 방영했던 영화잖아.
영화는 영화관에서 봐야 제맛이지. 답답한 브라운관하고 72mm 시네마스코프 화면하고 같냐?
서두르자.

저기 나온다.
빨리 건네줘.
나… 떨려서…

누구누구는 좋~겠다.
응?
허구한 날 러브레터라니…. 부럽다, 부러워.

나무 뒤에 있는 저 친구가 주는 거예요.
?
안 받고 뭐 해?
내 거?
전혁진이란 이름이 적혀 있잖아.
얘, 전해줬다.
아….
화끈

나에게
러브레터가
올 때도 있고….
정말 별일이
다 있군.
처음이니
잘해봐.
정미야~!
후다닥
보여줄까?
하하….
쓴 사람에 대한
예의가 아니지.
혁진 씨는 축구할 때
굉장히 멋있어.
그다지 미남도 아니고
공부를 잘하는 것도 아니지만
언제나 유쾌한 얼굴이야.
그랬나?
응.
난 그런 점이
좋아.
흐응..

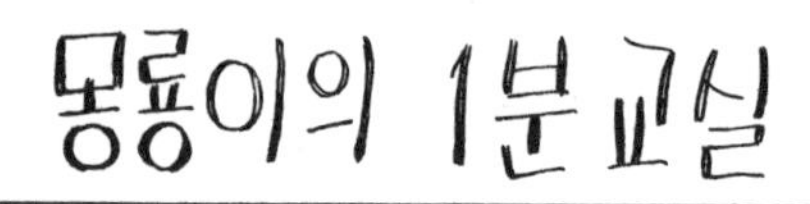

호두나무에 대하여

가래나무과의 낙엽교목으로 중국이 원산이며,
중부 이남에서 재배되고 있답니다.
높이는 20M에 달하고 가지가 굵으며
사방으로 퍼진대요.
수피는 회백색이고 잎은 5~7개의 작은 잎으로
되어 있다는데 개화기는 4~5월입니다.
열매는 식용으로 쓰이고 목재는 가구재로 쓰인답니다.
호두와 관련된 풍습으로, 잘 알려진 바와 같이
우리나라의 정월 대보름 부럼 깨기가 있으며,
서양에서는 11월 1일 만성절에
젊은 남녀들이 사랑의 점을 치기도 한다지요?
타오르는 불 속에 호두알을 던져넣어서
깨어지는 정도에 따라
사랑의 정열을 짐작한다는데, 글쎄요.
그 점괘 믿을 수 있으려나~.

아무도 없는 데 가서
저 방법으로
몽룡이와 나에 대한 사랑을
점쳐봐야지.

LOVE STORY
러브 스토리
미성년자 관람가
대인 3.000
소인 2.500
공중전화
Miss 레모낭
후속프로 예고
『거울속의녀』
그녀는 정녕 존재하지 않는
순간의 환상인가.
기묘한 만남. 사랑
그리고 의혹
‥재미있습니다.
직접
확인하십시오!

그녀의 나이는 겨우 스물다섯이었다.
아아…, 우리의 사랑이란 그토록
짧고 허무한 것일까?
사랑은 결코
미안해하지
않는 거예요.

와아~. 오래된 영화인데도 되게 멋있네.
하하하하ㅡ! 인아, 지나가는 여자 입술 좀 봐. 몸에 비키니가 웬말이냐? 야ㅡ, 이제보니 여자뿐이 아니잖아!
야ㅡ. 저 여자도 완전 들창코야. 비올 때 조심해야겠다.
이봐! 딴 사람을 생각해서라도 좀 조용히 하지 그래?!
이슬비, 화이팅!
뭐야, 이 호박은?
호… 호박?

야, 여긴 언론의 자유도 없나. 이런 모욕은 처음이야.
하필이면 호박이 떨어져서….
그… 그만.

호박도 영화구경 왔네 !?

오징어 땅콩~. 삶은 달걀이랑 군밤도 있습니다.
아저씨, 여기 껌하고 과자 주세요.

왠 과자를 그렇게 많이 사니?
다 먹을 거야. 말리지 마.
죠스바랑 강시
88공식 과
아기도깨비 과자
있습니

모짜르트의 작품,
나 다 기억하고
있었는데….
그런데 지금
잘 생각이 나지 않네….
왜 이러지….
제…니….
올리버…,
당신에겐 아무런
잘못도 없어요.
힘차게 살아줘요.
…꼭—!

훌쩍
얌냠
쩝쩝
부시럭
부시럭
끝까지
거슬리게
하는군.
왜 말을
안 했니?
어떻게
도와줘야
할까?
제니는
죽었습니다.

LOVE STORY
웅성
재밌더라. 그치?
응. 자꾸 눈물 나서 참느라고 혼났어.
웅성
사랑은 미안해하지 않는 거예요.
아니, 슬비 네 후드 속이 왜 이렇게 지저분하니? 껌이랑 과자 껍질이 잔뜩 들어 있어.
가만 있 내가 정리
분명 그 녀 짓이
너 여기 잠깐 기다리고 있어!!
우와
아… 알았어. 그런 무서운 얼굴 하지 마~.

이 저질 녀석을 그냥-!!!
?
쿵 쿵…
하하..
하하….
래서 말이야—.

앗.
혁진….

따악!
I am 호두.
…늦었

뭐야?!
사람 머리에 쓰는 모자와 휴지통도 구분 못하는데 유아 교육부터 다시 받지 그러니?
응? 조금 전 그 호박 아냐?

거야 원~.
쁜 여자애가 시비 걸면
미라도 있을 텐데
호박 같은 게 어디서
제 파악도 못하고….
으악
혁진아
철썩
앗! 슬비야
다시 한번
말해봐.
뭐? 호박?

저 계집애가 보자보자하니까 정말—!
진정해! 여자라고!! 여자애를 때릴 거니?
웅성 웅성
웅성 웅성
덤벼
이 나쁜
그만 가자. 없었던 일로 해.
괜찮아 놔 줘 나더러 호박이라고 했단 말야
놔!
말야 뺨을 맞고는 살수 없어
오늘은 기분이 엉망인 날이다.
모처럼 아침을 무사히 넘겼나 했는데
영화관에서 별 미친 망나니 같은 녀석을 만나 자존심 인격 왕창 상하고 말았다.

호박이라고?
흥!
호박이 얼마나
맛있는데.
요리 백과 사전
※ 서양 호박과
동양 호박은
많은 차이가 있다
호박떡…,
호박죽…,
호박전….
척
휴~.
내가 봐도
난 미인형은
아냐.
세상에는
여자보다 더 잘생긴
남자도 많은데….
그 녀석 때문에
그 사람이 준 호두,
먹지도 못하고
버렸네.
서지원이라고 했지?
정말 잘생겼더라.
부드러운 머리…,
날카롭고 짙은 눈빛…,
예리한 콧날….

미안. 미안해, 푸르매….
잠시나마 엉뚱한 사람
생각해서….
찰싹
찰싹
하지만 나
푸르매밖에 없어.
알지?
슬비,
나의 신부가
되어줘.

세상에서
제일 잘생긴
나의 푸르매….
하느님,
2세들은
푸르매를
닮게 해주세요.
호박이란
소리는
정말 듣기
싫거든요.
여보!
일어나요, 어서.
해가 중천에
떴어요.
남편 얼굴도
잊었소?
아니,
누구세요?
일 먼저
어나야 할
람이 이렇게
잠을 자면
떡하오.
?
애들이
배고파 하니까
어서 세수하고
밥 차려요.
내가 언제
저 사람이랑
결혼했지?
그,
그래요?

엄마, 밥 주세요!
응?

싹
싹
싹
싹
허악!

호… 호박이다아
엄마 밥주세요
엄마라고 부르지 마! 기분 나빠!
아니?

당신하곤 이혼이오.
귀여운 아이들을 울리고
밥도 안 주다니….
흑흑흑
아빠
아빠
잉잉
무슨
엄마가
저래
이혼장
애들아,
가자.
이혼장
아…,
이럴 수가
있을까?

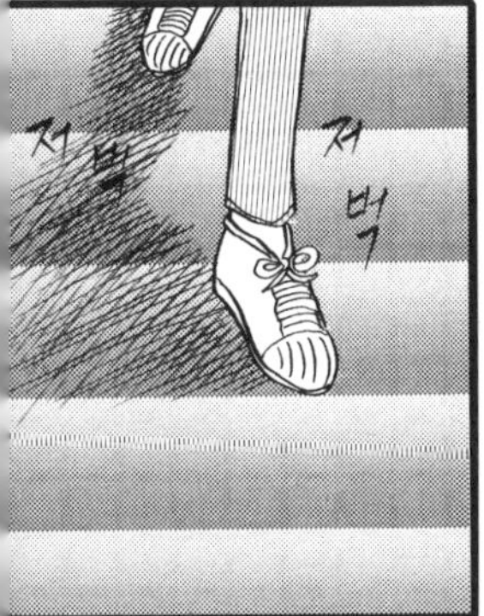

저벅
저벅

아가씨,
노랗게 생긴
호박 하나
못 봤습니까?
응?
너, 너는
그 녀석 아냐?
꼴보기 싫어!
가버려!
나는
호박이오.
뭐라고?
나는
호박이란
말이오!
어쩌라고!
호박 이오!
당신은 호박이오!
나는호박이오!
우리모두는
호박이란 말이오!
으아아아—!
듣기 싫어,
그만해!!

기상ㅡ!
벌떡
후우…
꿈….
꿈이었구나.
정말 무서운
악몽이었어.
안녕히
주무셨어요?

꿈이어서
정말 다행이다.
호박이라니…,
무슨 그런 꿈을
다 꾼담.
슬비는 오늘
안색이 나쁘네?
어디 아파?
괜찮아….
악몽 때문에
잠을 좀 설쳐서
그래.
응?
오늘 아침은
호박죽이니
한 그릇씩
남김없이 먹도록.
먹는 걸 마다하다니,
오늘 아침 해가 동쪽에서
뜬 게 맞나?
맛있다,
호박죽.
웬일이지?

테니스 부
조종인.
오랜만에
한 게임 어때?
좋아.
근데 우리 코치님,
선수 명단 발표를
왜 안 하시지?
예선이 코앞인데….
3년째
예선 탈락인데….
기분이
나시겠냐.
옛날에야
전국 대회 우승한
경력도 있다지만
지금은 그냥
동호회
수준이니.
그나마 서지원이
좀 하는 편인데.
……!

팡
팡
팡
팡
멋있다, 그치?
응. 독특한 매력이 있어.
운동도 잘하고 몸매도 훌륭해.
참, 저번 서지원과의 시합 봤니?
서지원의 압도적인 승리였지?
그래.
조종인도 서지원 상대는 못 되나 봐.
자기 칭찬할 땐 가만있다가 지원 씨 칭찬하니까 시끄럽대.
칫
응원도 좋지만 시끄러워서 집중을 못하겠어! 자제해줘!

앗—, 저기 봐. 서지원이야.
테니스 하려나 봐. 라켓 들고 오잖아.
이번에도 눈호강 제대로 하겠네.
아—! 무너무 잘생겼다—. 종인은 비교도 된다!!
미남자는 왜 여자에게 냉혹할까.
……
가까이 하기엔 너무 먼 지원 씨~.
저 지긋지긋한 녀석은 병이라도 안 걸리나…. 저런 계집애 같은 얼굴 어디가 좋다고 꺅꺅대는지….
조종인—!
시합 중에 한눈팔지 마!
알았어.

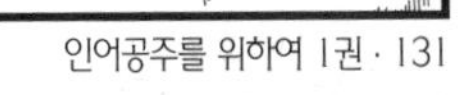

지원 씨 파이팅
멋진 플레이 보여줘요!
와아아
훗…
지원 씨를 의식해 팔이 굳은 거 아냐?!
조종인, 너는 좀 빠져라!
우—
치사하고 야비
제비족 같
녀석!
저 악마구리 같은 녀석—. 나보다 더 인기 있다는 걸 과시하려고.

툭
저 녀석이 있는 한 테니스부와의 인연은 끝이야!
그만두겠어!
헐… 뭐 저런 녀석이 다 있지?
파

꺄아♡
지원 씨—
수다스런
계집애들…
권투부
저벅
저벅…
권투부
권투부
저벅
저벅…
퍽
탁
탁
탁

퍽-!
퍽-!
다녀왔습니다!
형,
그게 뭐야?
퍽
퍽
샌드백.
보면 모르냐?
그게 아니라
웬 거냐고.
테니스부에서
권투부로 옮겼어.
샌드백을 서지원으로
생각하며 매일 매일 100대씩
때려야지! 크크크….
퍽
……!

푸른고교 3대 명물에 대한 보고서

서지원

2.12. 生
혈액형: A
별자리: 물병좌
수호성: 토성
탄생석: 자수정
(마음의 평화)

교내 불량서클 불개미단 대장.
그를 보는 이들은 놀란다.
우선 뛰어난 외모에 놀라고,
둘째로 악랄한 성품에 놀라며,
마지막으로 불성실한 학습 태도에도
성적은 우수한 데 놀란다.
남학생들은 두려워하며 혐오하고,
여학생들은 두려워하며 동경한다.

조휘인

12.27. 生
혈액형:AB
별자리: 염소좌
수호성: 토성
탄생석: 터키석(성공)

푸른고교의 19대 총 학생회장.
전교 톱을 달리는 수재.
다정다감하고 맑은 성품의 소유자.
성실하고 사려 깊은 성격으로
명물 중 유일하게
교사들은 물론
남녀학생 모두에게
신망을 얻고 있다.

조종인

12.27. 生
혈액형: AB
별자리: 염소좌
수호성: 토성
탄생석: 터키석(성공)

이 사람에 대해서는
오로지 한 줄로 평할 수 있다.

"4차원 정신세계"

짹
짹
짹…
철컹
철컹
어떻게
제 이름을….
네 친구가 널
그렇게 부르던걸?
기억 안 나니?
전날 영화관에서
너랑 싸우던 남학생
옆에 있었던 사람.
슬비?
스윽

전혁진이라고
내 친구야.
입이 좀 험해서
그렇지 마음씨는
좋은 애니 너무
미워하지 말아줘
그땐 정말
실례가
많았어.
아…,
그 일….
선배님이
사과하실
필요는
없어요.
사과는
부끄러워서
받기싫어~
다 잊었어요.
전 그렇게
속 좁은 애
아니에요.
와앗—.
의외다.
학생회장과
같이
등교하다니….
그 사람이 3대 명물에 끼
유별나서가 아닌 유능해서
조용한 성품임에도 트러블 없
학생회를 운영해 나가는 지도력이
시험만 보면 늘 학년 수석이기

긁적
저—, 어머니께서 무척 엄하신 모양이지? 꾸중을 많이 듣는 것 같던데….
, 예. 니가 좀 르타식 을….
화끈…
아버지가 만화가신데 화실 마감엔 채찍질이 필요하다시며 진짜 채찍을 사오셨더라고요. 많이 시끄럽죠?
아버지가 만화가시라니 뜻밖이네. 그런데 혼자서 다 그리시는 거 아니니?
예. 가족 모두가 함께 그려요.
아버지께서 데생을 마치시면 둘째 언니가 인물 펜터치, 셋째 언니가 배경 처리를 하고, 제가 연필선을 지우고 검게 처리할 부분에 잉크 칠을 해요. 그리고 넷째 언니가 잘못된 펜선을 수정하거나 스크린톤을 붙이고 최종적으로 아버지께서 점검하세요.
목표량을 채우지 못하면 반찬이 간장뿐이란 걸 명심하도록!
큰 언니는 주로 아버지와 함께 스토리를 연구하고 어머니는 매니저일을 맡고 계시죠.
자고로 만화가 같은 게으른 족속들은 채찍으로 다스려 강행군을 시키는 수밖에 없어.
흑‥
과장이 심해서 죄송합니다!!!

제4장 명물이라 불러다오

빨리 말 안 해?
4
하면
되잖아,
넌 왜
말보다
발이 먼저
올라가.
퍽
3, 2
핫—!
갑자기,
왜 빨리 세고
그래!!
1
와앗
말할께
말하면 되잖아!
stop
사랑해
사랑한다고

이슬비—
애들아,
너희들
슬비 못 봤니?
또 어디선가
자고 있는 거
아닐까?
설마—.
수업시간 내내
선생님 눈총 받으며
잤는데….
아까부터
안 보이던걸.
내 도시락 몰래
다 먹고 도대체
어디로 숨었지?
꽈

이… 원고 임자
누구야?
히야~
누가 테두리선을
이 따위로 그었어?!!
…빨리
자수하자.
그래. 선의의
피해자가 되고
싶진 않아
……
누구야, 나와!!!
ㅅ자가
중간에 들어가는
이름이지, 아마.
그러니까 네가
이 자로 그었단
말이지?
예, 엄마.
미라 언니가
저더러 시키곤
자 달라니까
새 자는 아깝다고
안 주고 헌것만
주잖아요.
뚝.
뚝
저게
고자질하고
있어?!!

넌 어째서
애가 그러냐?
20년 묵은
이도 다 나간
자야.
갓 시작하는
애에게 그런 걸
주다니….
그렇다고 이걸
못 그어서 모처럼의
대작을 망쳐?
착
착
착
그러니까 넌
만년 문하생밖에
안 되는 거야!
……
뚜벅
뚜벅
뚜벅
휙

내 몸소
시범을 보여주지.
비록 쥐 파먹은 막대기에
불과할지라도 경험과 숙련된
기술을 겸비한 내 손에 들어오면
명검 엑스칼리버가
된다는 것을.
스윽!
스
번쩍
테두리선.
번 번 쩍
와아
효과선.
바람선.
집중선.
방사선.
대단하다~~!
계속
아부하
정말 잘한다!
짝
짝
짝
짝
무서워~.
사람이 했다
믿을 수 없

와 엄마 만세ー
가끔은 아테네식 교육도 필요하군.
점심 시간이 너무 짧은 것 같다, 그치?
그래도 땀 흘릴 시간은 되니 고맙지 뭐.
중간고사가 곧 시작될 텐데 그땐 놀고 싶어도 못 놀아.
휘인아, 너 물리 숙제 다 했지? 좀 보여주라.
보여주는 거야 어렵지 않지.
깡!
하긴…, 무작위로 불러내 풀이를 시키시니 열등생은 괴로워!

휘익
아얏—!
이 깡통 임자
누구야?
뭐, 뭐야!
사람이 있었어?
전혁진 군,
나가라.
으윽…,
저 앤—.
바삭
응?
슬비 아냐?
우린 선의의
피해자가 되고
싶지 않아
야,
빨리 자수해.
그래, 댁이
이 지점에서
이걸 던졌단
말이지?
아뇨. 얘가…,
하하하….
휴지통에
넣으려고 했는데
잘 안 됐나 봐요
한 번만 봐줘요

스윽..
하나
로 못 넣어서
럼의 단잠을
와작
그러니까 넌 만년 후보생밖에 안 되는 거야!
혁진이가 후보 선수란 걸 어떻게 알았을까?
시범을 보여주지.
통은 휴지통에.
획..
인간은 자연보호, 자연은 인간보호. 비록 작은 쓰레기라도 정성을 다해 버리는 게 중요하지.
너 같은 실수를 안하려면,
V=속도 S=거리 T=시간
V=S/T S=VT T=S/V
이 공식을 항상 외워 거리를 잰 뒤에 적정량의 힘과 속도를 가한다.
틱..

쏙…
와 골인이다!
대단하다, 그렇지?
이상한 애다.
깨끗한 폼이었어.
가끔은 아테네식도 필요한 거야.
뭐가 뭔지 도통 모르겠다
하하하…
다행이다, 혁진아. 난 또 난투극이라도 시작될 줄 알았어.
하하
재미있는 소녀야. 아침에 인사까지 나누고선….
하하

탁
탁
탁
탁
아이고~,
힘들어라.
체육 시간마다
운동장 세 바퀴는
너무한 거 아냐?
집합!
헥헥
체육 시간엔
주번이고 싶다~.
5월 중간고사 성적은
실기,필기 각 50%씩
반영하겠다.
실기 종목은
배구의 토스와
패스다.
우리 둘이
같이 하자.

왜 그래?
그 애… 안 보이네? 장미라는 애 말이야.
푸른
아, 백장미? 아까 4교시 마치고 조퇴하고 갔잖아. 많이 아픈 것 같더라.
그랬어?
많이 아프다고…?

퍽
툭…
툭…
퍽
뭔 소리여?
퍽
퍽
퍽
대단한
펀치인걸.
반년만 일찍
시작했어도….
아깝다.
엄청 열심히
연습하네요.

테니스를 그만두길 잘했어.
물론 절대적인 이유는
서지원 그 녀석
때문이었지만.
언제고 이 주먹으로
그 녀석 팔이나
부러뜨려버리면
속 시원할 텐데….
아니지!
잘난 체하는
그 거만덩어리
얼굴이나 떡판으로
만들어버릴까?
뭐 뭐야.
권투!
정말 매력적인
운동이다.
치열하게
치고받는 가운데
진정한 영웅의
고독을 느낄 수
있지 않은가?
아…

멋있다.
너무 멋있다!
권투와 영웅,
그리고 고독….
영웅과 고독!
아~, 정말 멋있다.
난 눈물이 나올 것 같아.
나도.
이제부터 조종인 씨 팬할래.
수근 수근
왜 저러지, 저 녀석?
자주 4차원 속을 헤매다 오는 이상한 놈이야.
형,
지원
나냐?
마니들도
전히 기세가
등하군.
아니! 어느 사이에.
따닥…
따닥…
따닥…

따닥…
서지원—.
……
따닥
따닥♫ 따닥!
따닥…
무서워…. 정말 깡패 같아.
무섭긴, 얘는….
저렇게 예쁜 얼굴인데 어디가 무섭니?
따닥
따닥…
저 봐~. 여학생들 사이에선 인기 최고야.
서지원 바로 뒤 저 뚱땡이는 우리 실수로 발 한번 밟 맞아 죽는 줄
불개미 함부로 덤빌 수도 어휴, 저 놈 때문 권투를 시
어휴~, 저놈들이 무슨 짓을 하는지나 알고들 그러나?
……

내 라켓을 피해
도망간 곳이
고작 거기냐,
애송이?
우욱~.
저 녀석이?
…아니지. 냉정하자.
수많은 시선이 집중되어
있는 극한 상황이니 만큼
여유 있게….
저 녀석의 웃음이
비웃음이라면
나는 오만하고
품위 있게….
후후….
똥이 무서워서 피하냐?
더러워서 피하지.
띠융!
히힛~.
똥이래.
킥
킥
정답!!
남학생들의 반응
여학생들의 반응
지원 씨에게
똥이라니.
저렇게
잘생긴 똥이
어딨어.
말도 안 된다,
그치?
권투부에 숨어
나불대지 말고
나와!

입만큼 주먹도
위력이 있을지
궁금하군!
바라던 바.
1,000,000V
참아, 조종인.
넌 시작한 지
얼마 되지도
않았잖아.
그래.
네 주먹이 강한
알지만 서지원
팔방미인이야
괜찮아.
병호 말이 맞
저 녀석, 잠시
권투부에 있
나갔다고.
아, 그러고 보니
서지원은….
그래!
원래 권투를 하던
녀석이야—!
뭐라고?

소년체전
금메달리스트!
……
무서워….
어쩐지 부장이
따라다니며
입부를 권유한다
했더니….
슉…
정답이다, 병호.
권투는 내 제 1의
특기 종목이지.
슈욱…
후아 후아…
상관없어.
공 울려.
종인,
리 중지해.
칫하면 크게
칠지도 몰라.
저 녀석 성격에
적당히 끝내지는
않는다고.
……?
휙…
서지원—!
헤드기어
써야지!
필요 없어!

나도 벗겠어!
잘됐군.
완전 박살
내주지.
조종인은
쓰고 하는데
서지원은
안 쓰네?
잘생긴 얼굴
다치면
어떡하려고.
웅성
웅성
역시
서지원이
더 용감해.
맞아.
조종인은 어쩐지
비겁한 것 같아.
멋있다,
서지원.
사랑해요,
지원 씨.
파팟
1,000,000,000 V
파파팟
와~
빅 이벤트다!
서지원과 조종인의
일대 격돌!

그 두 사람이 만나면
항상 분쟁과 파탄,
피나는 승부의 세계가
있는 것 같아.
덕분에 전날
테니스 시합도
볼 만했잖아.
숙명의
라이벌
같아.
내가 보기엔
조종인 혼자 불 켜고
있을 때가 많던데?
구경 가세,
구경 가ㅡ!

성빈아,
우리도 구경 가자.
공짜잖아.
난 권투는
싫은데.
권투부로 가자!
날마다 이런
구경거리 있었음
좋겠다~!
우르르

무슨 소리야! 세상에서
제일 재미있는 게
싸움 구경이라고!
공짜야! 공짜라니까!

교내가 떠들썩한걸?
또 종인이와
서지원이야.
습관성이야.
어,
슬비구나.
누구?
이슬비….
영화관에서
너랑 싸운 애.
우욱…
그 얘긴
꺼내지 마.
두 번 다시
생각하기도
싫으니까.
번쩍
그러니?
네가 좋아하는
만화가집
애던데….
뭐, 만화가?!

내가 좋아하는 작가 많지 않은데 누구지? 이상형,이근세, 허영민, 장소산, 또….
딸이 이씨니까 이 작가겠지. 정 궁금하면 직접 물어봐.
…….
췟
나는 그런 억센 여자애와는 상대하고 싶지 않아.
얘기해보니 그렇지만도 않더라. 그 일은 잊는 게 어때?
부르르…
잊…으… 라…고?
그 애는 네가 깡통을 찼을 때 봐줬잖아.
그… 그런 아픈 상처를 어떻게 잊으라는 거야! 여자에게 뺨 맞은 건 처음이라고!!
그래도 잊혀지지 않는 걸 어떡해.
운동했더니 배고프다. 매점 가자.
척
척
영어 단어나 수학 공식은 단 1분 만에 잊으면서….

와
와
그렇게 느려서
어디 쓰나.
휙
아까부터
뭐 하는 거야,
저 둘?
데리고
노는군.
하..
야, 여기가
투우장이냐?!
서지원, 단발에
끝장내버려!

감히 권투로
도전을 해?
이 나에게?
퍽
퍽
퍽

퍽
계속 밀어붙여, 서지원─! 멋지다!
힘내, 종인! 뭐 하는 거야─?
최고!!
제기랄!
죽기 아니면 까무러치기다. 이대로 질 수는 없어!
퍽
절대─!!

철렁
…………!
땡
지원, 표정 좀 봐. 게 큰 거 았나 본데?
종인 녀석, 펀치 하나는 일품이었잖아.
이러면 경기가 재미있어지지.
자, 여기 수건.

어떻게 된 거야, 지원? 그까짓 녀석에게.
그래. 제대로 밟아버려.
조용히 해.
남자들은 참 이상해. 저렇게 거친 운동을 좋아 하다니….
결투도 꼭 저런 식으로 해야 하나?
그래. 우리 여자들처럼 대화로 문제를 풀어가도 될 텐데….
그치? 슬비야.
으응. 하지만 폭력을 좋아하는 여자도 있어.
미라 언니나 엄마처럼….
땡
2회전에서는 종인이도 만만치 않은걸.
막상막하로 치고 받으니 누가 이길지….
종인이가 이겼으면 좋겠다.
최소한 종인 서지원 이외의 사람에게껜 피해를 주지 않잖아

가 이긴다.
집념의 사나이니까.
래, 나의 집념으로 이길 수 있어.
이길 수 있어!
종인아, 뭐 하는 거야ㅡ!
파파팍
휙
잘한다!
계속해라,
지원ㅡ!
2년이나 권투를 안 했던 놈에게도 지는 거냐? 조종인, 분발해라!

퍽
그래, 그거야!
잘한다ー, 조종인!
밀어붙여ー!
팍
파
팍
정말 끈질긴
놈이군
크게 비었다ー!
지금이야, 조종인!
뭐가
금메달리스트야!
아프겠다…

와아
와
최고다, 지원!
멋쟁이—!
가 난다!
가가 찢어졌어!
호실로 옮겨!
웅성
웅성
여기 점퍼.
역시 대단해,
서지원.
저 무표정한
얼굴 좀 봐.
상처 하나
없어.
저 녀석이
못하는 건
대체 뭐지?
왜 권투를 계속
하지 않았을까?

따닥…
따닥…
따닥…
따닥…
따닥…
따닥…
따닥…

따닥…
형—!
어떻게
된 거지?
따닥…
따닥
2회전에서
K.O 패 당했어.
눈 옆이
조금 찢어졌어.
지원이 놈,
헤드 기어도
안 쓴 상대를
무지막지하게
치다니….
어쩌지?
까지 여기
놓을 수도
없고….
눈 옆에
찢어진 데는
안 꿰매도 될까?
번쩍…

깜짝…
벌떡…
비겁한 자식!
페인트 모션을
쓰다니―!

그, 그렇게 많은
아이들 앞에
K.O패를 당하다니…
…….

거기에 상대
끔찍하
싫어하
서지원이니…
그래.
종인 녀석,
지고는 못 사는
악바리잖아.
아무래도
육체적 충격보단
정신적 충격이.
털썩…
으….

할 수 없지 뭐.
고문까지만
어떻게 나가면
택시가 있으니까.
어떡할 거냐?

야—,
너 많이
다쳤어.
그래.
무리하지 마.
우리가
부축할게.
상관 말고
다들 꺼져.
FOORUN
나는 하나도 아프지 않아.
오늘은 그저
실수한 것뿐이야.
나의 방심을 그 녀석이
노렸던 거야.
녀석에게 K.O 당하고
너희에게 부축받으며
집에 가라고?
나더러…,
그래.
나는 그 녀석을
이길 수 있어.
K.O시키겠다는
집념만으로도
나는 이길 수 있어.
비틀…
FOORUN

휘인아, 너 서지원을 어떻게 생각하니?
글쎄…. 서지원에 관한 건 나보다 네가 더 잘 알잖아?
어릴 때는 둘도 없는 단짝이었지만…
중학교로 진학하면서 연락이 끊겼어.
고등학생이 되어 3년만에 그 녀석 재회했을 때, 나 정말 당황스러웠
그리고 뒤이은 회의와 경악…, 그리고 불신….
사람이…
그렇게 변할 수도 있는 걸까….

서지원이
아닌 줄 알았어.
동명이인인가
하는 생각도
했지.
아니…,
동명이인이었으면
좋겠다고…
진심으로 그렇게
바랐어.
내 어린 날의 우상…,
기억 속의 천사가
무너져내린 모습을
보는 것은
생각 이상으로
비참했으니까.
서지원….
…3년…,
고작 3년이라
생각했는데….
어느 누군가에겐
그토록이나
긴 세월이었을까?

제5장 슬비의 수난시대
아, 아니,
웬 진수성찬이지?!
미라 언니,
오늘 무슨 날이야?
엄마 아빠
결혼 25주년
기념일,
은혼식이잖아?
참, 그랬지!
기념 여행도
가시겠네?
물론이지.
무려 한 달이란다.
야
신난다
방 방

여러분!
이 밤의 주인공
이상형, 김숙 부부를
소개합니다.
빠밤…
와아… 와아…
빠라밤
짝짝짝…
엄마, 아빠~,
결혼 25주년을
축하합니다.
이런 자리를
마련해주어서
고맙구나, 애들아.

먼저 국민의례가 있겠습니다…가 아니라, 시간상 생략되고 영광된 주인공님의 말씀을 들어보겠습니다.
부끄럽다, 애들아. 그냥 넘어가자.
그럼 딸들의 축하쇼가 이어집니다.
먼저 미라의 격파 시범이 있겠습니다.
호옷
퍽

카우~
짝 짝 짝
와~, 잘한다.
스무 장이나 되는 기왓장을 두부처럼 으스러뜨리다니…. 으~, 무서운 여자.
오돌돌!
나~
그룹 『딸네미들』 축하공연
곡목: 만화가 지망생에게
작사: 엄마
점 찍으세요 두눈이 사팔뜨기 되도록.
먹칠하세요 손가락에 산형동 생기도록
지우개질 하세요 지문이 다 지워지도록
때리는대로 맞으세요. 온몸이 붕어되도록
시키는대로 하세요.
만화는 눈물로 배우지요
만화는 온몸으로 배우져요
일숙 언니
빰빠라 빰빠~
그래도 만화는 즐거운것
이 세상에서 제일 멋진것
만화가 지망생은 오세요.
우리모두 만화를 배웁시다아~
빰빠라 빰~
일숙언니를 본 각계인사들의 반응
?
?
너무너무 닮았다. 오늘 하루쯤은 저 모습 안 보고 지나갈 줄 알았는데….
재밌겠나. 나도 나중에 입어봐야지.

쿵작
쿵작
동네가 왜이리 시끄러워?
나이트가 생겼나?
저 집엔 누가 살기에 밤낮을 안 가리고 시끄럽지?
다음 날
어서 나오세요, 엄마. 아빠께서 택시 잡아놓고 기다리고 계세요.
애들아, 엄마 어떠니?
멋있어요!!
비정상적으로 아름답고 우아하신 우리 어머니.
어서 타요, 자칫하다 늦겠소.
알았어요.
잊으신 물건 없으시죠, 엄마?
어서어서 가세요.

스윽…

헉!
나랏말싸미

내가 없는 동안
일에 소홀하거나
규율이 느슨해지는
일은 없겠지?
팽
팽

믿어주십시오!
저희들의 자립심을
발휘할 수 있는
좋은 기회라 생각합니다!
정말이냐?
예! 부모님이
계실 때보다 더 보람찬
한 달을 보낼 자신이
있습니다!!

집안일은
걱정 마시고 다녀오십시오!!
제일 크게
대답한 사람!
난 아무 말도
안 했다.
꽉
나랏말싸미

좋다.
인간적으로
여러분들의 말을
믿어보겠다.
아울러 한 달 후
채찍이 쓰이지
않게 되길
진심으로
바란다.
부웅

독재자는 사라졌다!
황금과도 같은 한 달 간의
우리들만의 세상!!

야호
와락…
고생 많았지?
괜찮아, 괜찮아.
독재자는
떠났어.
언니—.
엉엉~~.
이 해방감~.
아, 아니-
귀가 왜 이렇게
가렵지?
아우야—.
많이 먹는다고
그릇 뺏을
람도 없고—.
마음껏 늦잠 자도
채찍을 휘두를
사람은 없어.
이젠 우리의 인생을
찾아야만 해.
몇년 만에
악몽 없이
잠잘 수 있게
됐어.
그래.
이제부터 꿈의 나날이
시작되는 거야.
아아…,
하늘을 날 것 같은
이 행복감….
슬비는 꿈에도
생각할 수 없었다.
그날로부터
자신의 비극이
시작된다는 사실을!

그리하여
그날 오후 4시
진아 언니.
왠지 방안 공기가 좀 탁한 것 같지 않아?
앵~
그렇지? 먼지가 좀 쌓였나 봐.
혜린아~, 방 청소 좀 해라.
알았어.
애 미라야. 방청소 좀 해. 거실 부엌도.
바삭
타앗
……
나랑 말씀이

…싫어?
전치 6주, 사망진단서,
양자택일 해야겠군.
툭
앗!
내 책─!
청소해.
마당, 화실, 다락방,
부엌, 화장실,
기타 등등….
그, 그런 게
어딨어?
원래 내몫은
마당이잖아.
아울러
식사 준비도
해놓길.
흐흐흐….
사람들은 흔히
폭력을 깡패들의
전유물로 생각하지만
말이야.
폭력이야말로
가정의 평화를 위한 지름길이요,
옳고 그름을 판단하는
둘도 없는 기준인 거야!
쨍
그랑
으~.
부지직
쾅

빗자루는 네 다리,
꽃병은 네 머리였다고
생각해.
덤으로
이도 몇 개
부러질 지
몰라.
덤으로 깨어진
손거울
아흐흐흐~
빨리 빨리
청소하고
시장 다녀와!!
알았어?
눈물의

나랏말싸미

아!
그렇구나~.
오늘은…
오늘은 어린이날이었어!
어린이
다들 즐거워
보이네.
생각해보면 어린이날이라고 해서
부모님 손잡고 나들이했던
기억이 거의 없다.
불행하다…고까진 할 수 없을지 몰라도
약간은 아쉽다.
하지만 부모님을 원망하는 마음은 없다.
내가 기억할 수 있는 최초의 기억 속에서도
아버지 어머니는 대부분의 시간을
그 답답한 화실 속에 계셨다.
한 달에 한두 번의 중요한 볼일 외에는
일체 외출을 삼가하신 채
모든 열정을 만화의 길에 쏟으신 거다.
젊음과 건강까지도.

그런 25년의 나날 끝에
처음으로 긴 여행을 떠나신
나의 아버지, 어머니.
KOREAN AIR
부디 한 달 간 즐겁
보내고 오시길…
(아울러 돌아오실 즈음
채찍 쓰는 법을 잊으셨기를…
신발
아지매, 사 가소!
이거 떨이요,
2천 원만 주쇼!
와아~.
흘타(싸다)!
보소, 보소~!
이래 흘은 물건
어딧등교?
카레라이스 5인분에
오이 냉채니까
감자…, 양파…, 햄…,
완두콩…, 오이하고…
응, 뭔가 빠졌는데….
칠성
그래, 당근.
당근을 잊었네.

당근 2개만
주세요.
저는
30개
주세요.

…….

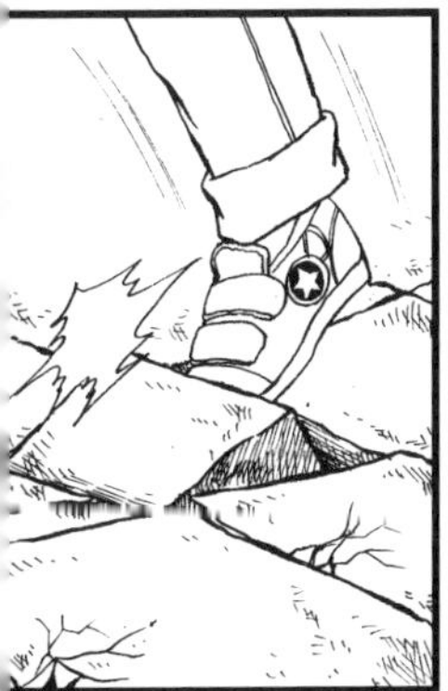

털썩
앗,
꼬마야—!

괜찮니, 꼬마야?
어디 안 다쳤어?
예, 괜찮아요.
엄마는
어디 가셨길래
네가 이 많은 걸
다 사 가는 거니?
돌아가셨어요.
누나가 집까지
들어다줄까?
예?
하지만
누나도 짐이
있잖아요.
괜찮아.
나한테는 별로 무거운 것도
아니야.
가자~~.
어느 방향이니?
가방

힘들지요?
아냐, 괜찮아. 그런데 이렇게 많은 당근은 어디다 쓰는 거니?
제니들 밥이에요.
제니?
예. 보통 때는 가게에서 버리는 것들을 얻어와서 주는데 가끔 돈이 생기면 이렇게 사줄 수 있어요.
그땐 참 기뻐요. 잘 먹거든요.
낡은 동네구나.
다 왔어요, 누나.
저기 담장 옆에 큰 나무가 있는 집이에요.

와, 크다!!
이게 무슨 나무니?
우리 집 수호신
호두나무에요.
수호신.
쏴아아
멋진 나무다.

삐이꺽…
제니—,
모두 어디
숨었니?
빨리 나와,
당근
사 왔으니까.
토… 토끼다!
나랏말
누나,
소개시켜
드릴게요.
제일 큰 토끼는
엄마 제니고요,
좀 작은 애는 리틀 제니.
제일 작은 애는
마이크로 제니예요.

아버지랑
살고 있니?
예.
우리 형 얼마나 멋있다고요.
잘생기고 공부도 잘해요.
최고예요.
아뇨.
형이랑 둘이요.
형?
그래.
그 잘생긴 형은
외출했나 봐?
…형은 집에
잘 안 들어와요.
하지만
제니가 있으니까
전 괜찮아요.

그럼 밥은 누가 하니?
저, 라면도 끓일 줄 알아요.
형이 와서 짜장면을 사줄 때도 있고요.
앗! 제니ㅡ!
나랏말싸미
저어…, 리틀 제니, 아무리 당겨도 봉투는 꼼짝하지 않을 텐데….
아니 이것이 왜 안 움직이지?
끙끙…
배고파 죽겠는데 식사 당번은 어떻게 된 거야?!!
오늘 식사 당번 누구야?
덜컹… 덜컹
토끼들밖에 없는 이런 집에서 혼자….

호오~
야, 식사 당번!
빨리 식사 대령
안 하고 뭐 해?!
캑
시장 가서
뭐 하느라고
이렇게 늦지?
하이고
허리야~
딩 동 딩 동…!
정확히
1시간 20분
소요.
시장까지
왕복 20분,
장보는 데
넉넉잡아 30분.
모두 더해봤자
50분인데….

바른대로 말해! 시장에서 혼자 몰래 순대 사 먹었지? 오는 길에 만화책도 한 권 보고,
핫도그도 하나 사 먹었겠지. 안 그러고선 이렇게 늦을 리 없단 말이야!
순대도 안 사먹고 만화책도 안 봤어!
요게 또 거짓말 하고 있어! 너 때문에 옆구리 걷어 차였단 말이야! 디스크 걸리면 네가 책임질래?
딱
나라짤ㅂ미
다음부터 또 늦으면 혼날 줄 알아! 어서 밥이나 해!!
울컥
뭐야, 청소 내가 다 하고 시장까지 봐 왔는데….
시장은 내가 다녀왔으니까 요리는 언니가 해!
자기 일을 떠넘기면 안 돼!
어째서 이게 내 일이야?
탕

투두둑
으드득

너… 지금
시장 바구니를
'탁' 소리가
나도록 던졌겠다?

아, 아냐~.
내가 언제 던졌다고
그래…?
부, 북어는 많이
두들겨 요리해야
맛있는데… 그러니까
시장 바구니 안에
북어가 들어 있어서.
그… 그래서 그런 거야.

긁적
긁적
그래.
가사책에
그런 게 있었던
것도 같아.

난 밥 준비할 테니
「고스트 바스터즈」
라도 봐.
그 먹깨비가
얼마나 귀엽다고
알았어.
하 하 하…
낄 낄…

아, 잠깐.
그래. 여기 있으니 맘대로 해.
여자가 칼을 빼들었으면 무라도 베라고 했는데, 너를 구타하는 대신 북어나 좀 두들겨줄게.
무예를 배운 자답게 단정하게 앉은 다음….
한 수 부탁 드리겠습니다.
척
부드러운 섬섬옥수.
그러나 때로 칼이 되고, 때로는 북어 잡는 방망이가 되기도 하는 전천후 무도인의 손.
탁
탁
탁
탁
탁
탁
이 둔탁한 소리는 뭐지?
어디서 타작 하나?
탁
하마터면 유혈사태가 벌어질 뻔했어.

스윽
히익
나랏말싸미
난자당해
형태를 알수없음.
이 정도면 돼?
좀 더 두들길까?
아…, 아냐…,
추… 충분해….
재미있더라.
스트레스 해소도 되고
앞으로 그런 거 있으
나한테 맡겨.
씨익…
저벅…
저벅…
너덜
너덜…
네가 정말
좀 전의
그 북어니?

그날 밤 10시
슬비야—, 아직도 간식 멀었니?!
잠깐만—. 다 만들어 가.
다 됐어, 언니들.
탁자에 두고 넌 자러 가.
나랏말싸미
스페이드…, 스페이드만 나오너라.
그런 게 어딨어? 떡볶이 만들어 오면 나도 끼워준댔잖아! 나도 할래!
넌 내일 학교 가야 하잖아
그건 언니도 마찬가지잖아!!
씨이..
나랏말

척…
와하하하…! 나보다 더 높은 사람 있으면 나와보라 이거야!
의기양양…
득의만만
이럴 수가! '스트레이트'인데…, 그것도 '마운틴'인데….
안됐다, 미라야. '마운틴 스트레이트' 들고 '플러쉬'한테 눌리다니… 정말 억울하겠다.
언니야, 나도 한 판만 끼워줘, 응?
나야 고작 '투페어'였지만….
난 '원페어'도 못 된단다. 아아~, 전설의 '로얄 스트레이트 플러쉬'는 언제나 한 번 해보나.

저게 ㅡ,
안 가고 자꾸 성질 돋울래?
언니야~.
촤르르…
으~
나 랏말싸미
닌자~.
잉잉…
엄마~
맨날 나만 못살게 해
맞으려고 기를 써요, 기를 ….
내 친구들도 너더러 킬러하면 떼돈 벌겠다더라.
뭐야?

드르륵...

거기가 네 방이니?
아니에요.
아버지 화실인데 청소 중이에요.
언제 아버님께 사인 받으러 갈게. 내 친구 혁진이가 열렬한 만화광인데 아버님 함자를 궁금해 하던걸?
헤헤…. 우리 아버지 유명한 만화가세요. '만화가 이상형' 이라고 하면 모두 알아주거든요.
참, 선배님이 우리 학교 학생회장이시죠?
정말 대단해요.
제 친구 중에 성빈이란 애가 있는데 선배님이랑 친해지고 싶대요.
슬비야!

미라 언니다.
가봐야겠어요.
그래.
다음에 보자.
헤헤…. 아빠 화실 맞은편이 휘인 선배 방이라니….
깡
아얏!!

빨리 밥 해!
알았어, 부탁이니 제발 아무거나 좀 던지지 마! 버릇되면 어쩌려고 그래!!
시집갈 데라곤 괴물밖에 없을 거야!!!
말을 함부로 하고 있어.
아흐흐흑.
슬비 목소리 같은데….
힘 좀 세다고 함부로 패고…. 언니면 다야? 푸르매한테 다 일러줄 거야!
대성통곡
푸르매~! 보고 싶어~, 푸르매~!

…푸르매.
푸르매라고?
스윽…
아,
미라 언니다.
쫘 아악
……,
히익…

이슬비 너,
잠깐 저쪽으로
가 있어.
나?
왜?
푸르매한테
할 말 있어.

싫어~.
안 갈 거야.
슬비…

저게?
빨리 안 가?!

잠깐만
저쪽으로 가 있어.
금방 갈게.
그치만….

척…

너 주려고 산 거야.
?
먹어.
하아...
다다닥...
......?
얼마나 망설인 끝에 한
행동인지 모른다.
해냈어.
그런데.

뿐인가…,
이런 일도 있었지.
싫어! 나, 아기 안 할 거야!
왜 그래? 내가 색시 하고 넌 아기 하기로 했잖아.
그래. 미라가 아기 할 수는 없어, 슬비.
그래도 안 해!
깜짝
때린다!
……
와앙
싫어~! 이번엔 내가 색시 할 거야.
내가 푸르매 색시 할 거야!
앙~

울지마, 슬비.
그래!
오늘은 슬비가
색시 하자.
…정말?
그럼 나는?!
내가 아기야?
으음. . .
너는. . .
너는 손님 하면
되겠다.
그럼 나도
안 해!
끝까지 안 잡아?
그날 이후 나는 두 번 다시
푸르매의 색시가 되지 못했다.
나 보란 듯이
둘이서 붙어 다녔지.

나도 푸르매가 동화책
읽어주는 걸 좋아했는데,
(2학년이 되도록 읽고 쓰기를 못했던
탓만은 맹세코 아니다) 언제나
슬비에게만 읽어줬었지.
이 나를 무시하고 말이야.
쩌억…

그렇지.
이번 슬비 생일에
볼 수 있겠군.
그날 옛 원한을
갚아주겠어.
후후….

미라야,
아까 슬비 우는 소리
들리던데, 애를 왜
그렇게 못살게
구는 거야?
무식한 게
힘만 세다니까.
상처라도 나면
어떡해.
누가 집안일을
하라고.
그건 그래.
뭐니 뭐니 해도
슬비의 살림 솜씨가
제일이니까.

흥
…

헉

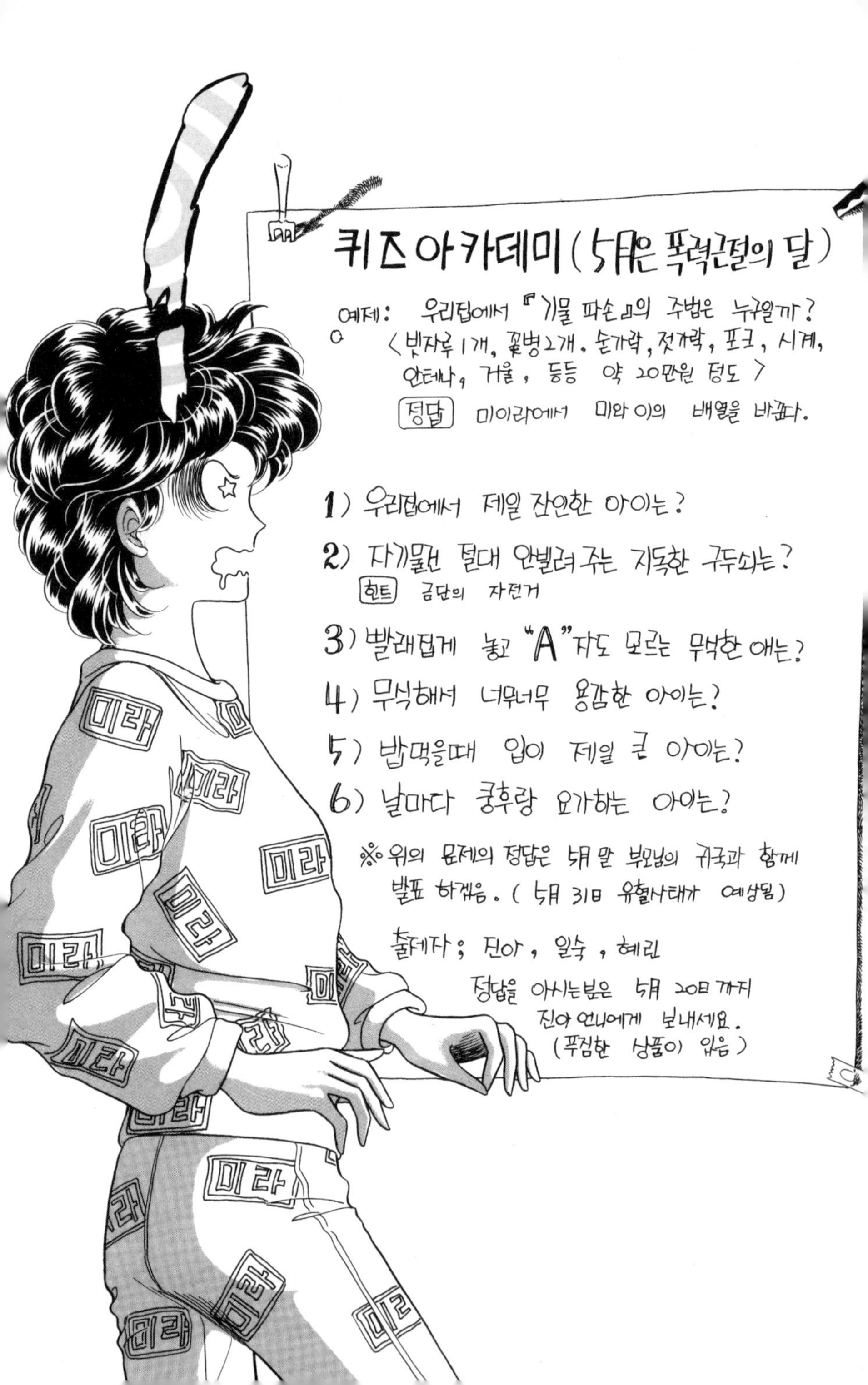
퀴즈아카데미 (5月은 폭력근절의 달)
예제: 우리집에서 『기물 파손』의 주범은 누구일까?
〈빗자루 1개, 꽃병 2개, 숟가락, 젓가락, 포크, 시계, 안테나, 거울, 등등 약 20만원 정도〉
정답 미이라에서 미와 이의 배열을 바꾼다.
1) 우리집에서 제일 잔인한 아이는?
2) 자기물건 절대 안빌려 주는 지독한 구두쇠는?
힌트 금단의 자전거
3) 빨래집게 놓고 "A"자도 모르는 무식한 애는?
4) 무식해서 너무너무 용감한 아이는?
5) 밥먹을때 입이 제일 큰 아이는?
6) 날마다 쿵후랑 요가하는 아이는?
※위의 문제의 정답은 5月 말 부모님의 귀국과 함께 발표 하겠음. (5月 31日 유혈사태가 예상됨)
출제자; 진아, 일숙, 혜린
정답을 아시는분은 5月 20日 까지 진아 언니에게 보내세요.
(푸짐한 상품이 있음)
미라

아아…
부웅
북
물적 증거를
없애야 해.
와그작~
와그작~
총각 김치는
세 단지나 담궜으니
엄마 오실 때까지
먹을 수 있겠지.
달그락
달그락

치익…
나는야~
요리 명인~.
앗!
철퍽…
아깝다.
아니지!
쓰레기
이건
미라 언니 줘야지.
이슬비.

헉
미라
미라
미라
미라
미라

너…
내 자전거
빌려달란 적 있지?
봐… 봤을까?
어…,
으응…?
무슨 일이야?
미안해!!
다음부턴
그런 말
안 할게!!!
빌려줄 테니
일주일 동안 타라.
필승
난, 한 번
빌려준다면
주는 사람이야.
그… 그게
정말이야?!
미라
미라
미라

대신
오늘 아침에
맞은 건 잊어.
그… 그럴게.

난 절대 구두쇠가 아냐.
주로 언니들이
보는 앞에서
자전거 타도록 해.
응! 고마워
언니.
웬일이지?
만우절도 아닌데
정말 신기하네.

척…
척…
그럼.
난 간다.
이럴 줄 알았으면
몇 대 더 맞고
한 달 동안
빌릴 걸….
역시
이 계란은
버려야겠다.

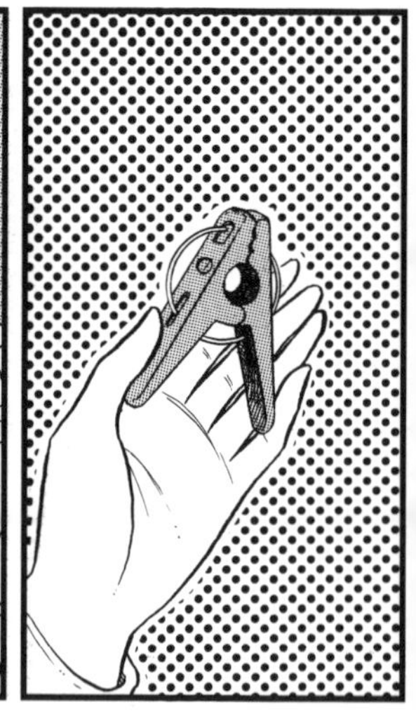

아니—, 빨래집게가
꼭 영어 철자 A 같네.
정~말 신기하다.

풋
A B C D E F G
How do you do ?
어휴~~.

정말
단순하다니까.
그래서
귀엽잖아.

제6장 거미줄

장미야,
오늘은 등교했네?
걱정 많이 했어.
어디가 아팠니?
이슬비….
으응….
약간 빈혈기가
있나 봐.
걱정해줘서
고마워.
같은 반
친구인데
당연하잖아.
근데 빈혈이라니
너무했다.
잘 안 먹어서
그럴 거야.
그런 의미에서
매점 가자.
…아직
아침인데….

곧 아침 조회가
시작되오니
전교생은 운동장에….
윽—. 아침 조회….
주번이고 싶다.
며칠 후면
중간고사가
시작되니 모두들
해이해지지 말고
공부에 집중…
…하도록……
하는 것이…
…합시다.
해야 하니…
…하기
바랍니다.
교장 선생님 훈시에 이어서
학생 주임 선생님의
말씀이 있겠습니다.

3회 이상 지각생과
용모 불량한 학생은
담임 선생님께 고발할 거다.
알겠쓰~잉?
성빈아,
조휘인 선배
멋있지?
교복도
굉장히
잘 어울리고….
그냥 서 있기만 하는데
후광이 마구 뿜어져
나오는 것 같아.
최고야~!!
마지막으로
미팅 현장을
발견했을 경우
현행범은 정학이다.
…는 안 되며,
…도 안 하도록
…는 절대불가
…를 해서는 안 되고
…는 하지 않도록….

다음은
마지막으로….
수군… 수군…
…에….
…에…
…에…
헤에치!
와하 하하하
하
하
하
하
하
……..

흐음—
음—
조용…
다음은 마지막으로
하계 방학 이전의 교내 행사에 대해 말씀드리겠습니다.
애, 오늘따라 휘인 선배가 더 멋있어 보이지 않아?
그래. 목소리도 좌악 깔린 것이 분위기 있고….
웅성 웅성
아까 얼굴 빨갛게 된 거 봤지?
5월 8일 어버이날… 5월 15일 스승의 날에는….
안 그래도 완벽한 남자가 귀여워지기까지 하면 반칙이지!!
지금까진 멀게만 느껴졌는데 한번 접근해볼까?
휘인 씨는 내 거야. 미희 넌 남자 친구 있잖아.
수군 수군
……

거기 1학년 여학생들, 좀 조용히 해주십시오!
특히 노랑 리본 드라큘라형 송곳니!
아침 조회를 계속 진행하겠습니다.
역시 학생회장.
박력만점.
노랑 리본이라. 아, 저 여학생이군.
송곳니도 뾰족하네?
너무나 억울해 말도 못하고 있다.
……!

독자들의 빠른이해를 위한 서비스페이지

⇒ 우범지대

마의 밭(田)

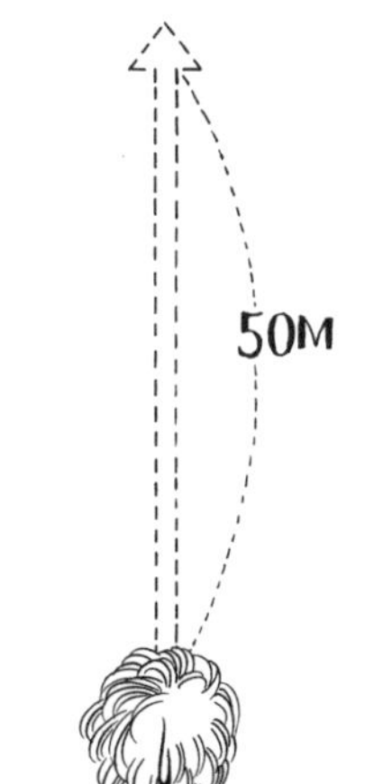

※5번 슬비를 제외한
1, 2, 3, 4, 6, 7, 8, 9는
모두 다 수다쟁이 여학생들.
모두들 한마디씩 했지만
오로지 슬비만 조용하게 있었음.
마치 태풍의 눈이
평온한 이치라고나 할까?

①②③
④⑤⑥
⑦⑧⑨

멀리 있는 휘인으로선 ①②③④⑤⑥⑦⑧⑨ 에서
나온 소음이 5번에서만
나온 줄 안다.
휘인은 진실을 몰랐다.

5월에는 행사가 많습니다. 스승의 날엔 사제 간의 친선 배구시합과….
따르르르르르

몽실아~,
점심 시간이다!
매점 가자!
슬비 너도
매점 가야 되지?
둘째 시간 마치고
밥 먹는 거 봤어.
얘는, 당연한 말을
새삼스럽게 하니?
장미야, 너도 가자.
힐끗
힐끗
노랑 리본
드라큘라
송곳니야.
아침
조회 때….
얼마나
떠들었으면
휘인 선배가….
바로
재야.
구내매점
이 학교에
전학 와서
세일 기뻤던 게 구내 매점이
넓다는 거였어.

저번 학교에서는
점심 시간마다
완전 전쟁을 치렀거든.
후룩 후룩
다른 학교에 들어간
내 친구도 그런 말
많이 하더라.
먹을 것 산다고
법썩을 떨고나면
배가 더 고프대.
스윽…
매점에서 만나다니—
뜻밖이네.
오랜만이야.

조종인.
먹고 와, 먼저 간다.
종인 선배랑 아는 사이니?
국민학교 동창이야. 한반이었던 적도 있고.
장미 거니까 눈독들이지 마, 슬비!
콜라를 공짜로 막 사주다니, 널 좋아하나 봐.
아니야, 그냥 좀 아는 사이일 뿐이야.
꿀꺽
종인 선배는 눈두덩이 아직 좀 부은 것 같아.
서지원은 얼굴에 상처 하나 안 났던데.
…무슨 얘기니?
서지원과 조종인이 권투 시합 했잖아. 아무튼 좀 치열했어.
아, 넌 그날 조퇴했지.

그래서…
결과는
어떻게 됐어?
종인 선배,
2회전에서 K.O패,
안타깝게도!
쳇, 그래도
종인 선배를
응원했는데….
서지원 그 녀석
좀 눌러주길
바랐는데….
너도 참,
어지간히 서지원을
싫어하는구나.
돈이라도 떼였니?
싫어하는 내가
이상한 게 아니라
잘생겼다고 그저
좋다는 애들이
문제 아닌가?
어, 장미야.
또 아프니?
얼굴 빛이….
아… 아냐,
괜찮아.

완전 부럽다. 만화가가 이웃에 산다니….
그렇다니까 몇 번 물어?
그 애가 정말 이상형 선생님 딸이니?
딸인 줄 알았다면 잘 보였을 텐데….
그렇지도 않아. 밤낮이 뒤바뀐듯 해서 부모님은 요즘 불면증에 시달리고 계셔.

한탄해도 늦은 걸 어쩌냐? 하하….
너, 그날—
정말 심했어.
퍽
퍽
우씨~.
안녕, 종인,
일찍 들어왔네?
흘낏…
퍽
퍽
네 형은 좀 이상해.
괴기스럽달까…,
공포스럽달까…
그런 게 있어.
하하~

탁
종인아, 올라갈 때 이것 좀 들고 가렴.
뭘 보고 있어?
어릴 때 앨범.
앨범
그래?
백장미잖아. 네가 어떻게 얘 사진을 갖고 있지?
형도 거기 있잖아.
앨범

참, 그랬지.
나랑 같은 반
같은 조였지.
이건 소풍 가서
찍은 사진이야.
종인
장미
장미도 지금 우리 학교
다니고 있잖아.
교내에서 몇 번 봤는데
휴학해서
다시 1학년이래.
어릴 때도 늘
공주님 같은 옷을
입고 다니곤 했던
기억이 나.
혁진이 너도
백장미를 아니?
헤헤…. 4학년 때 한반이었잖아.
내가 장난을 건 적도 많았지.
나는 한 번도
같은 반 된 적 없어.
맞다!
장미가 서지원을
좋아했었지.
그래!

사진 좌로부터 전혁진, 서지원, 백장미, 조흥인.
여기 내 얼굴도 있네.
내가 원래 이유없이 남을 미워하는 성격은 아닌데 유독 서지원 녀석이 싫었던 데는 역시 이유가 있었어.
장미가 이 녀석을 좋아했어.
백장미뿐 아니라 여자아이들 거의 대다수가 지원일 좋아했던 걸로 기억나.
어릴 때도 상당히 귀여운데? 여자애 같다.

팔방미인으로도
유명했어.
얼굴 잘생기고
공부 잘했지.
웅변대회에서도
1등을 도맡아 하고
흥!
귀엽다고?
뿌 득…
운동회 때 하는
차전놀이에선
청군 대장이 되어
승리했지.
그러고 보니
나도 기억나는 게 하나 있다.
6학년 때 형이랑 전교 회장
선거에서 겨뤘는데
지원이
압승했지.
시끄러워!!
물론 선생님과 여자아이들의
인기를 독차지한 건 인정해.
광대같이 피나게 노력한 끝에
얻은 결과일 테니까.
아이고
힘들어…
하
하
하.
짝
짝..

하지만 녀석의 실체는 선량한 나를 모함하기 위해 호시탐탐 기회를 노리며 난잡한 권모술수나 꾸미는 비열한 놈이었어.
부르르
…….
그 음모는 6학년 봄소풍 때 시작되었지.
이 사진 찍었을 때 말이구나.
그때까지만 해도 나는 친구가 없어서 혼자서 김밥을 먹고 있었어. (원래 영웅은 고독한 법이지만)
종인아, 혼자 먹고 있는 거야?
그럼 나랑 같이 먹자.
…….
내 김밥도 먹어봐, 맛있어.
쓱

종인아….
탁
필요 없다는데 왜 이래!
뭐, 저런 나쁜 애가 다 있지?
저렇게 못된 아이도 소풍 왔네.
웅성
웅성
남의 성의도 무시하고….
저런 애는 무인도에 갖다 버려야 해.
김 선생, 쟤가 학생회장에 출마했던 애지요?
아냐, 바퀴벌레만 사는 별나라로 보내자.
지렁이, 거머리, 지네….
그래, 그런 비난 정도는 견딜 수 있었어.
우월한 자들은 언제나
우매한 세인의 질시를 받아왔으니까.

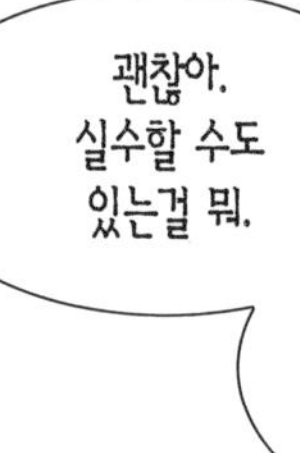
괜찮아. 실수할 수도 있는걸 뭐.

그런데 그 녀석은 가식적인 제스처로….
난 다른 애들과 나눠 먹어도 돼.

반짝
반짝
와아!
역시 서지원~.
정말 정말
착해.
두 사람이
같이 있으니까
천사와 악마 같아.
난 백로와
까마귀가
생각나는데?

느아쁜! 녀석!
깜짝…
녀석은 그런 결과를
예상하고 나에게 미끼를
던졌던 거야!

나에게 말을 걸 때 작전은 시작되고 있었어.
녀석은 나를 구렁텅이로 몰아넣을수록
그 자신은 더욱 선량한 모범생으로 보이게
된다는 얄팍한 계산을 굴리고 있었던 거야.
보통 사람이라면
예쁘고 여자답고
귀족적인 백장미가
접근하면 십중팔구는
감격할 거야.
내 뒤를 이어 희생물로
선택된 사람이
바로 백장미였어.
보편적인 인간 심리를 이용한
또 하나의 계략이었지.

그렇지?
휘인이 너도 장미랑
사귀고 싶겠지?
혁진이 너도?
글쎄….
난 사귀고
싶어.
그런데 그 녀석은
장미의 접근을
아무렇지도
않은 듯 피했어.
그렇게 함으로써
상대방이 더욱 더
자기를 좋아하게 만들고
동성 친구들에게도
시샘을 받지 않으며,
계속 멋진 남자로
보이게 만드는
고차원적인
계략이었던 거지!!!
까드득
진드기
같은 녀석.
…아니지.
족제비라는 게
더 낫겠군.
…아냐…,
역시 진드기야.
네 형이 지원일
싫어하는 줄은 알았지만
저 정도일 줄이야.
…….
저벅
저벅

애들아, 슬비 못 봤니?
수업 끝나기 무섭게 책가방 들고 뛰어 나가던데?
벌써 갔대?
그런가 봐. 번개가 따로 없어.
부모님이 안 계셔 집안일이 많다더니 그래서인가?
그런 것 같아. 우리도 그만 가자.
재네, 요새 잠시도 안 떨어지네?
슬비랑 셋이 똘똘 뭉쳐 다녀.
백장미도 생각하던 것과 많이 다르더라.

차갑고 오만할 줄
알았는데
의외로 상냥해.
BUS
버스
STOP
섭니다
내성적이라
오해를 받은
건지도 모르지.
요샌 기사
딸린 자가용도
안 오더라.
네 차가
먼저 왔네.

잘 가~.

대구 은행
COM
[주] 국제

다리가 또….

어디 가서 마사지를
해줘야겠는데….
다리를 다치셨나,
아가씨?

우리가 좀 도와줄까?
숙녀를 돕는 건 신사의 기본이지.
…괜찮아요. 집도 바로 근처니까.
어라..
스윽
어허~. 대화 중에 어디 가시려고….
고맙지만 괜찮아요. 비켜주세요.
이 아가씨, 사람 성의 무시하네. 좋은 일 해보겠다는데 협조 좀 하지?
안 비키면 소리 지르겠어요.
소리를 질러?
어디 해봐.

저리 비켜요!
히야~, 머릿결 곱다~.
빨리 데리고 가자.
어허~, 앙탈도 적당해야 귀여운 거다~?
이거 놔—!!
헛소리 마, 새꺄!
혼자 보기 아까운 장면인걸.
사람이 말로 하면 알아듣지 못하고 꼭 손을 쓰게 만들어요!
아무 말 안 했는데?

모른 척 지나가주고
싫었는데 하필이면
내 밥줄이더란
말이지.
이건 또 뭐야?
오우~
미남짜!

형아가 밥줄 걱정
영영 안 하게
해줄게!!

퍽

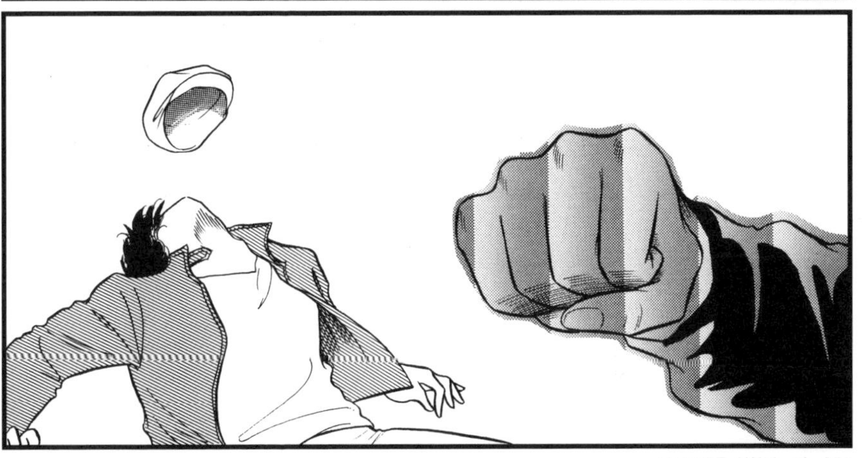

네놈들이
누굴 건드리든지
상관 않겠지만
그 애는 안 돼.
뚜두
개는 내 거란 말이지.
알겠니?
뚜둑

이런 시건방진
놈이—!!!

아….

유난 떨지 마.
새삼스러운 모습도
아닐 텐데.
오늘은 그럭저럭
손 부끄럽지 않게
된 건가?
아, 고마워, 정말.
너 아니었으면
어떻게 됐을지….
웬일로
여기까지 온거니?

그… 미안해, 잊었어.

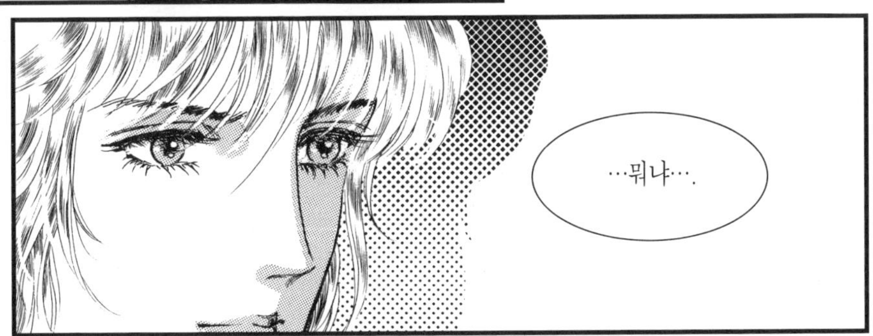
…뭐냐….

계약 해지로 받아들이면 되냐?
아냐—! 깜빡 잊었을 뿐이야, 그냥….

한번 믿어보지.
내일 수업 마치고
'푸른집'으로 와.
내일 봅시다,
공주님.
잠….

제7장 킬리만자로의 표범

광장하군,
조종인.
호길이도
만만찮은
실력인데.
한 달도 안 돼서
저 정도로 발전하다니,
천재인가?

그래, 더욱더 이 몸을 찬양해라!
집념을 다하면 이 세상에서 내가 이루지 못할 일은 없는 거야!
멋진 게임이었어, 종인아.
뭐야, 이 녀석.
속으론 나에게 져서 분해 죽을 지경일 텐데 악수를 청하다니, 무슨 음모라도 꾸미는 것이 아닐까?
흥, 아무리 그래도 나는 속지 않는다. 웃음도 가식일 테지.
짝
짝
짝
푸른
푸른

그래, 녀석은 이걸 노린 거야.
이기고 지는 건 별것 아니라는
행동으로 나의 승리를
축소시키고, 상대적으로
자신을 대범한 인간으로
포장하기 위해서…!!
아아…, 세상엔 왜 이렇게
음모자들이 많은가?!!
어이—,
무슨 생각하냐?
오늘 회식 같이
갈 거지?
전번 회비가
남아 있으니
돈 걱정 말고
같이 가자.
돈가스
먹고 싶다.
나는
안가
종인인
숨겨진
보석이었어.
제일고랑
시합할 때
잘하겠지.
대단한
주먹이야.
나는….
재능에 노력까지
더해지니 저렇게
발전하는 거야.
씨익
가자.

딸랑
어서 오세요.
연속으로 단체 손님 대박~~.
이 집 돈가스 정말 맛있어.
푸른
어, 서지원.
불개미단도 있다.
서지원?

장미가 어떻게
서지원들과
같이….

어서 받지 않고
뭐 해?
난….
맥주 못 먹는
사람도 있어?

내숭 그만 떨고
받아.
속아주고 싶은 기분
아니거든?

마실 거야,
안 마실 거야?!
지원아…,
…서지원,
정말
마실 줄을
몰라서….

지원아,
제발….
공주님이
우리랑 어울리기
싫은 거겠지.
이거, 완전 애기잖아.
아니면 내숭?
제발!
이 공주님은 어째서
발전이란 게 없냐?
지원인 왜 이 청승가증이랑
계속 만나는 거지?
마셔!

그만둬!
쨍그렁
종인.
오합지졸들을 모아놓고
더러운 짓을 하더니
이제 연약한 여학생까지
괴롭혀?
어쩐지 등이
가렵다 했더니
빈대가
숨어 있었네.

더러운 주둥아리
못 놀리게
만들어주지!!

오면 받아주는 게
인지상정!

이야호~!!
다 박살내버려,
대장아~!
조종인,
그만둬!

그 느린 주먹에
누가 맞아주니?

그… 그만둬,
둘 다.
네가 재빨리
마셨으면 됐잖아.

젠장!!!

늦다니까.

꺄아아—!

어서 나가요.
웅성
웅성
소… 손님~.
씨끌
벅적
싸우려면 나가서 싸워!!
학생, 이러면 여러 사람에게 폐가 되잖아.
족발 좀 내리지?
이 자식—, 너희 집에선 어른에게 그 따위로 굴라고 가르쳐?!!

퍼
헉!!!
억
우리 집에서
뭘 배웠건 당신이
상관할 바 아니고.
전혀 맞추지 못했어.
그렇게 연습을 했는데도
저놈 하나 당해내지 못하는 건가?
비바
각
자식 자식 하지도 말고,
내가 당신 자식이오?
같이 늙어가는
처지에 시시콜콜 따져
뭐 하느냔 말이지.
그렇게 열심히
연습했는데도!!

저놈은 미쳤어!
다른 말로는
설명할 수가 없어.

말려야 해….
재주 있으면
말려보시지.

경찰이다!
튀자!
앞문에 경찰이
좌악 깔렸어!
비상구로 가!
모두 흩어져서
피해!

탁 탁 탁
탁
탁
탁
너, 나가서 보자!

아앗—!

지,
지원….
비상구

탁
탁
탁

여기 있으면
안 돼.
나가자.

여러 가지로 고마웠어.
…미안해.
그런 말 마. 너의 일이라면 지옥이라도 두렵지 않을 뿐이야.
안녕.
그래. 다음에 보자.
철컹

너는 정말로
한 송이 백장미같이
아름답다.
여자를 사귀려면
저 정도는 돼야지.
1.미모
2.재력
3.여성미
서지원 놈과
함께 있던 것이
걸리긴 하지만….
저 녀석 보기 싫어
국민학교 동창회에도
안 나갔는데
무슨 악연으로
매번 부딪치는지!!
근절해야 할
바퀴벌레 같은
녀석!

아니지.
이렇게 막연히 증오할 게 아니라
녀석의 인간성을 집중 분석해보자.
철저히 증거물을 수집하고 나쁜 점을 요약하는 거야.

그 후
매체를
이용해서,
다
다
다
전국에
알리는 거다.
사이코패스 아냐?
서지원?
-이런 놈이
있었다니!!
경찰은
뭐 하누~,
이런 놈
안 잡아가고.

장미에겐 편지로 부쳐야지.
물론 발신인 이름을 감추고.
백장미
서지원
나쁜아이
아~, 내가
서지원에게
속았구나.

내가 이유 없이
남을 미워하는
성격은 아닌데
말이야.

암 담
녀석은 사회적으로
매장돼 어둠 속에서
살아가겠지.
상상만으로도
즐겁다.
후
후
후

그런 말 마.
너의 일이라면
지옥이라도 두렵지
않을 뿐이야.
내 말을 깊이 음미해줘, 장미.
그 말 속에는 너와 교제하고 싶다는
복선이 짙게 깔려 있어.
종인아,
이 문제 좀
가르쳐줄래?
조종인….

꺄

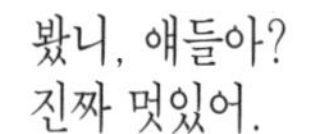
봤니, 애들아?
진짜 멋있어.

조종인은 서지원만큼 잘생긴 건 아니지만 색다른 매력이 있어.
보통 사람과 좀 다르지, 그렇지? 어쩐지 우리와는 다른 세계에 사는 듯한 그런 신비한….
솔깃
그래 그래. 「킬리만자로의표범」이란 노래 가사의 주인공 같아.

킬리만자로의 표범?
어떤 노래지?

먹이를 찾아 산기슭을 어슬렁거리는
하이에나를 본 일이 있는가.
짐승의 썩은 고기만을 찾아다니는
산기슭의 하이에나.
나는 하이에나가 아니라 표범이고 싶다.
산정 높이 올라가 굶어서 얼어 죽는
저 눈 덮인 킬리만자로의 그 표범이고 싶다.

자고 나면 위대해지고
자고 나면 초라해지는 나는 지금
지구의 어두운 모퉁이에서 잠시 쉬고 있다.
야망에 찬 도시의 그 불빛 어디에도 나는 없다.
이 큰 도시의 복판에 이렇듯
철저히 혼자 버려진들 무슨 상관이랴.
나보다 더 불행하게 살다 간
고호란 사나이도 있었는데….

바람처럼 왔다가 이슬처럼 갈 순 없잖아.
내가 산 흔적일랑 남겨둬야지.
한 줄기 연기처럼 가뭇없이 사라져도
빛나는 불꽃으로 타올라야지….

묻지 마라.
왜냐고…,
왜 그렇게 높은 곳까지
오르려 애쓰는지 묻지를 마라.
고독한 남자의
불타는 영혼을
아는 이 없으면
또 어떠리….

살아가는 일이 허전하고 등이 시릴 때 그것을 위안해줄
아무것도 없는 보잘 것 없는 세상을
그런 세상을 새삼스레 아름답게 보이게 하는 건 사랑 때문이라고….
사랑이 사람을 얼마나 고독하게 만드는지 모르고 하는 소리지.
사랑만큼 고독해진다는 걸 모르고 하는 소리지.

너는 귀뚜라미를 사랑한다고 했다.
나도 귀뚜라미를 사랑한다.
너는 라일락을 사랑한다고 했다.
나도 라일락을 사랑한다.
너는 밤을 사랑한다고 했다.
나도 밤을 사랑한다.
그리고 또 나는 사랑한다.

화려하면서도 쓸쓸하고
가득 찬 것 같으면서도 텅 비어 있는
내 청춘에 건배!!

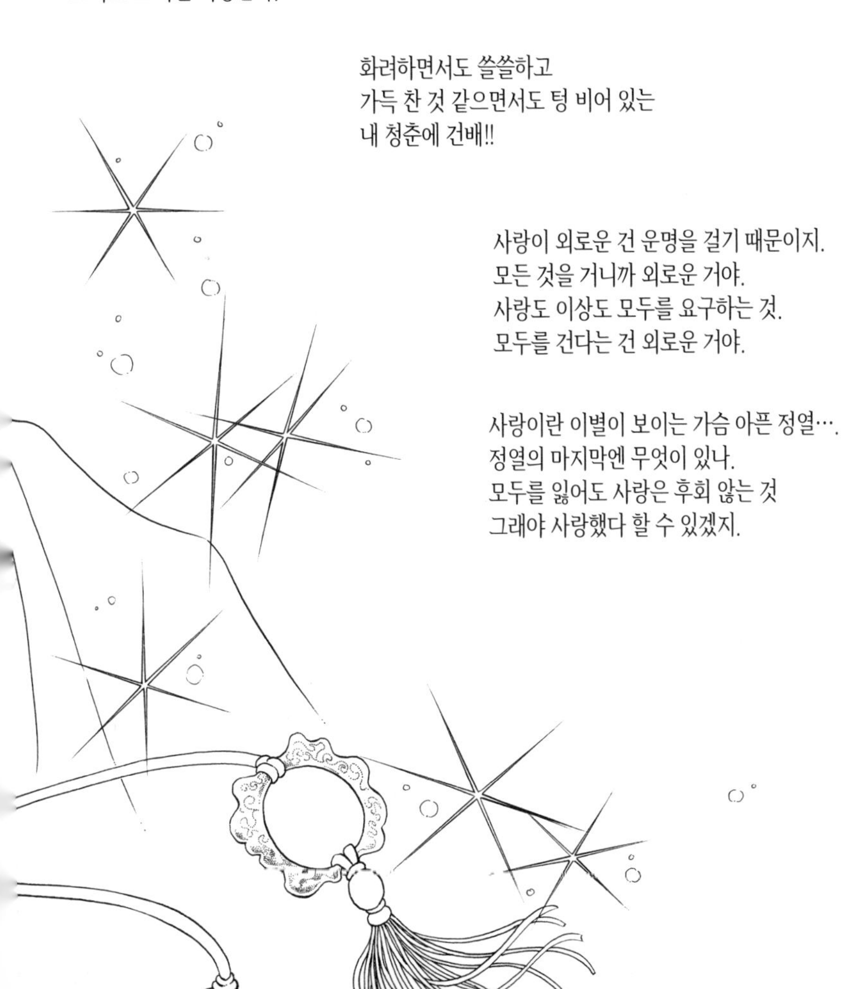

사랑이 외로운 건 운명을 걸기 때문이지.
모든 것을 거니까 외로운 거야.
사랑도 이상도 모두를 요구하는 것.
모두를 건다는 건 외로운 거야.

사랑이란 이별이 보이는 가슴 아픈 정열….
정열의 마지막엔 무엇이 있나.
모두를 잃어도 사랑은 후회 않는 것
그래야 사랑했다 할 수 있겠지.

아무리 깊은 밤일지라도
한가닥 불빛으로 나는 남으리….

메마르고 타버린 땅일지라도
한 줄기 맑은 물소리로 나는 남으리….

거센 폭풍우 초목을 휩쓸어도
꺾이지 않는 한 그루 나무 되리….

내가 지금 이 세상을 살고 있는 것은
21세기가 간절히 나를 원했기 때문이야.

구름인가… 눈인가…
저 높은 킬리만자로.
오늘도 나는 가리, 배낭을 메고.
산에서 만나는 고독과 악수하며
그대로 산이 된들 또 어떠리….

song by 조용필
「킬리만자로의 표범」

그래!
이제부터 좀 더 멋있고
근사한 남자의 이미지로
탈바꿈하자.
후후…
함축성 있게
시적인 표현을 쓰고
바람과 함께 사라지는
남자가 되자!
아~, 멋지고 멋지다.
마치 나를 위해
만들어진 가사 같아.
고독한 남자…
조종인을 위해!

안녕?
일찍 왔네?
3-7

드
륵
국 사

그저께
권투 시합 때
호길이에게
이겼다면서?
축하해.
여기서 대화를
주고 받으면 그저
평범한 무리에 낄 뿐.

응?
……
바람과 같이 사라져
자기 자리에 가 있다니
재주도 비상하군.
근데 뭐야,
나 지금 무시
당한 건가?
때르르르…
3-7
5교시
무슨 과목이야?

화학일걸.
아, 화학 숙제 있었지?
화학 숙제 내신에 반영시킨댔는데.

종인아, 넌 화학 숙제 해왔니?
그래, 종인인 했을 거야.
그렇지. 화학 잘하잖아.
섭섭치 않게 한턱 낼게.
탁
그래.
헤헤…. 우리 좀 보여주라.
쿨
쿨…

흘깃
뭐라고 했니?

아, 아냐. 아무 말도 안 했어.
…그래.
볼일이나 봐.

보여주기 싫으면 싫다고 할 것이지.
일부러 못 들은 척하냐.
치사한 녀석. 아침에도 저런 짓 하더니….

조종인
나쁜놈
쫑긋
※ 조종인의 특징
- 유난히 귀가 밝다
(자기 칭찬이나 험담에 한해서)

보다 높은 차원에 도달하려면 작은 고통쯤은 필수 조건.
마음껏 욕해라.
그것이 무슨 상관이랴.
나보다 더 불행하게 살다 간 고호란 사나이도 있었는데.

애들아, 슬비 못 봤니?
몰라.
장미 너도 슬비 못 봤어?
점심 같이 먹고 싶었는데 안 보이더라.
이상하군. 매점에 혼자 안 갈 테고.
도시락 있는지 봐.
요샌 슬비 찾는 게 하루 일과 같아. 도시락도 여기 있는데. 밥도 안 먹고 어디를….
…언제 다 먹었냐.

쉬는 시간에도 먹는 모습 못 봤는데….
그러게.
저기 있네.
응?

재…,
슬비 맞니?
맞을걸.
성빈아,
장미야.
둘이 어딜 가?
어딜 가긴.
널 찾아 다녔지.
점심 시간인데
안 보이길래
찾던 중이야.

『인어공주를 위하여 1권』 끝

LEE MI RA SPECIAL EDITION

인어공주를 위하여 1

2023년 4월 25일 초판 1쇄 발행

저자 이미라

발행인 정동훈
편집인 여영아
편집책임 최유성
편집 양정희 김지용 김혜정
디자인 형태와내용사이

발행처 (주)학산문화사
등록 1995년 7월 1일
등록번호 제3-632호
주소 서울특별시 동작구 상도로 282 학산빌딩
편집부 02-828-8988, 8836
마케팅 02-828-8986

ISBN 979-11-411-0324-8 (07650)
ISBN 979-11-411-0323-1 (세트)

값 16,500원